Julie Sireis
2003

10|18
12, avenue d'Italie — Paris XIII$^{e}$

## *Sur l'auteur*

Mia Couto est né en 1955 à Beira. Journaliste, il a aussi dirigé l'agence d'information du Mozambique. Auteur d'un recueil de poèmes publiés en 1983, il a écrit des nouvelles et trois romans, dont notamment *Terre somnambule, La Véranda au frangipanier* et *Les Baleines de Quissico*.

# LA VÉRANDA AU FRANGIPANIER

PAR

MIA COUTO

Traduit du portugais
par Maryvonne LAPOUGE-PETTORELLI

10|18

*« Domaine étranger »*
*dirigé par Jean-Claude Zylberstein*

ALBIN MICHEL

Titre original :
*A varanda do frangipani*



ISBN 2-264-03357-6

Chaka, fondateur de l'Empire zoulou, à ses assassins :

« Jamais vous ne gouvernerez cette terre.

Elle sera gouvernée uniquement par les hirondelles de l'autre côté de la mer,

celles qui ont des oreilles transparentes... »

cité par H. JUNOD

« Le Mozambique : cette immense véranda sur l'océan Indien. »

EDUARDO LOURENÇO
lors de ses adieux au départ de Maputo,
en 1995

# *1*

# *Le rêve du mort*

Je suis mort. Si j'avais une croix ou une plaque de marbre on verrait écrit dessus : Ermelindo Mucanga. Mais j'ai trépassé de conserve avec mon nom cela fait presque deux décades. J'ai été des années durant un vivant patenté, une personne de race autorisée. Je peux avoir mené ma vie avec droiture, je ne m'en suis pas moins disqualifié lors de mon décès. Cérémonie et tradition m'ont manqué lorsqu'on m'a enterré. Il ne s'en est même pas trouvé un seul pour me replier les genoux. La personne doit quitter le monde telle qu'elle y est entrée, enveloppée dans une bonne laine. Les morts doivent avoir la discrétion de n'occuper que peu de terre. Mais je n'ai pas gagné accès à une petite tombe. Ma fosse s'est étirée à la mesure de toute ma taille, d'un extrême à l'autre extrémité. Personne ne m'a disjoint les mains pendant que mon corps refroidissait encore. Je me suis transféré les poings fermés, en vouant les vivants à la malédiction. Et pour faire bonne mesure : ils ne m'ont pas tourné le visage de manière à ce que je contemple les monts Nkuluvumba. Nous, les Mucanga, nous avons des obligations envers ceux des temps jadis. Nos morts regardent l'endroit où la première femme a sauté ses lunes, ronde du ventre et de l'âme.

Ce ne sont pas seulement les funérailles d'usage qui m'ont fait défaut. Les manquements sont allés plus loin : comme je n'avais pas d'autres biens on m'a enterré avec ma scie et le marteau. Ce qu'on n'aurait pas dû faire. On ne laisse jamais le moindre objet en fer entrer dans une tombe. Les métaux mettent plus de temps à pourrir que les os du trépassé. Et pire encore : une chose qui brille appelle la malédiction. Avec de pareils ustensiles inusitables, je prends le risque d'être un de ces défunts bousilleurs du monde.

Tous ces contretemps se sont succédé parce que je suis mort hors de chez moi. Je travaillais loin de mon village natal. Je restaurais des ouvrages de menuiserie dans la citadelle des Portugais, à São Nicolau. J'ai tiré ma révérence alors que nous étions à la veille de la libération de mon pays. On aurait dit une plaisanterie : mon pays venait au monde langé dans son drapeau, et je descendais en terre, banni de la lumière. Qui sait, j'ai peut-être eu de la chance, exempté de la sorte d'assister aux malheurs de la guerre.

Comme on ne m'a pas accommodé de funérailles, je suis resté à l'état de *xipoco* *, ces âmes qui errent d'abri en désabri. Pour n'avoir pas eu de cérémonie, je me suis retrouvé un mort en délicatesse avec sa mort. Jamais je ne m'élèverai à la condition d'enchanté qui est celle des défunts définitifs, jouissant du droit d'être convoqués,

* Voir le lexique en fin de volume pour les mots en italique.

aimés par les vivants. Je suis de ces morts auxquels on n'a pas coupé le cordon anombilical. Je fais partie de ceux qui ne sont pas remémorés. Mais je ne hante pas ces lieux en diabolisant les vivants. J'ai accepté la prison d'une sépulture, je me tiens tranquille ainsi qu'il sied aux trépassés.

Ce qui m'a aidé c'est d'être resté auprès d'un arbre. Chez moi, dans mon pays, on choisit un *canhoeiro*. Ou une *mafurreira*. Mais ici, aux environs de ce fort, il n'y a rien à part un maigrelet frangipanier. On m'a enterré à côté de cet arbre. Les fleurs parfumées du frangipanier pleuvent sur moi. Tant et si bien que je sens déjà la même odeur que leurs pétales. Est-ce bien la peine de m'adoucir ainsi ? Parce qu'à présent seul le vent me respire. Pour le reste, personne n'a souci de moi. Je me suis là-dessus fait maintenant une raison. Même ceux qui, ponctuels, hantent les cimetières, que savent-ils des morts ? Ombres, frayeurs, noirceurs. Même moi, trépassé désormais vétéran, je compte mon savoir sur les doigts de la main. Les morts ne rêvent pas, c'est moi qui vous le dis. Les défunts rêvent uniquement les nuits de pluie. Pour le reste, ce sont eux que l'on rêve. Moi qui n'ai jamais eu quelqu'un qui se souvienne de moi, par qui suis-je rêvé ? Par cet arbre. Seul le frangipanier me consacre nuitamment des pensées.

Cet arbre, le frangipanier, occupe une véranda dans une citadelle coloniale. Cette véranda a déjà été témoin de beaucoup d'Histoire. Sur cette plate-forme ont été écoulés ivoires et tissus, esclaves par milliers. Depuis ces remparts des canons lusitaniens ont tiré sur des navires hollandais. Les derniers temps de la période coloniale, il avait été décidé d'en faire une prison pour enfermer les révolutionnaires qui guerroyaient contre les Portugais. Après l'Indépendance on a improvisé à la place un asile pour vieillards. Avec les troisième-âge, l'endroit a périclité. La guerre est arrivée, qui a ouvert de vastes pâtures pour la mort. Mais les tirs se sont déroulés loin du fort. La guerre terminée, l'asile est resté sans personne pour en hériter. Les heures entre ses murs, dans ce lieu empesé tout entier de silences et d'absences, se sont décolorées. Dans cette aberration, telle l'ombre d'un serpent, je me suis fait à l'état d'ancêtre improbable.

Jusqu'à être un jour réveillé par des coups et des trémulations. On trafiquait dans ma tombe. J'ai eu le temps de penser à ma voisine, la taupe, celle qui est devenue aveugle afin de pouvoir regarder les ténèbres, mais ce n'était pas cet animal fouisseur. Des pelles et des bêches profanaient le sacré. Qu'est-ce que, ravivant ainsi ma mort, trifouillaient ces gens ? J'ai tendu l'oreille et j'ai compris : nos dirigeants voulaient me transformer en héros national. M'emballer pour la gloire. Ils avaient déjà fait courir le bruit que j'étais mort au champ d'honneur, en luttant contre l'occupant colonial. Il leur fallait maintenant mes restes mortels. Ou mieux, mes restes immortels. Ils avaient besoin d'un héros, mais pas n'importe lequel. Il leur en fallait un qui soit de ma race, et de ma tribu et région. De manière à contenter les dissensions, à équilibrer les mécontentements. Ils voulaient mettre l'ethnie sur la sellette, ils voulaient racler l'écorce pour exhiber le fruit. La nation avait besoin de mise en scène. A moins que ce soit le vice versa ? Je passais de nécessiteux à nécessaire. Raison pour laquelle ils creusaient pour moi un cimetière, tout au fond de la cour de la citadelle. Lorsque je m'en aperçus, je restai quasi sans contenance.

Je n'ai jamais été un homme d'idées, mais je ne suis pas mort au point que la langue m'ait fourché. Je devais rectifier cette erreur. Sinon c'en était fait à jamais de mon repos. Si j'ai décédé, ça a été pour demeurer une ombre solitaire. Surtout pas pour des fêtes, des roulements de tambour et autres commémorations. Sans compter qu'un héros c'est comme les saints. Personne ne les aime véritablement. On s'en souvient en cas d'urgence personnelle ou de détresse nationale. Je n'ai pas été aimé de mon vivant. Je n'avais que faire, maintenant, de cette mascarade.

Je me suis souvenu de l'histoire du caméléon. Tout le monde connaît la légende : Dieu envoie le caméléon en messager de l'éternité. L'animal prend son temps, il musarde plutôt que de courir livrer aux hommes le secret de la vie éternelle. Il musarde tellement qu'il laisse à Dieu le temps, entre-temps, de se mordre les doigts et de dépêcher un autre intermédiaire avec le message inverse. Je suis un messager à contre-courant : j'apporte aux dieux un message des hommes. De même je musarde, m'attarde avec le message. Lorsque j'arriverai au séjour des dieux, ils auront déjà reçu d'autres défunts la contre-indication.

Le sûr est que je n'avais aucune envie d'être un héros posthume. Il me fallait éviter la commémoration, dussé-je y perdre la face et les yeux. Que pouvais-je faire, fantôme sans crédit ni édit ? J'imaginai un moment réapparaître avec mon corps du temps où j'étais vivant, jeune et gâté par l'existence. Resurgir d'une rétroversion par mon nombril, fantôme palpable et nanti d'une voix, parmi les mortels. Mais un revenant qui réoccupe son ancien corps court des dangers beaucoup plus mortels : toucher ou que l'on vous touche suffit pour faire tomber des cœurs à la renverse et pleuvoir des fatalités.

Je consultai le pangolin, mon animal de compagnie. Il existe quelqu'un qui ne saurait rien des pouvoirs de cet animal en écailles, notre *halakavuma ?* Eh bien, ce mammifère habite avec les morts. Il descend des cieux dans les occasions de pluie. Il tombe sur la terre pour livrer au monde des nouveautés, ce qui est à venir de l'avenir. J'ai là avec moi un pangolin tout comme en vie j'avais un chien. Il se roule en boule à mes pieds et je lui sers de coussin. Je demandai à mon *halakavuma* ce que je devais faire.

– Tu ne veux pas être un héros ?

Mais un héros au nom de quoi, aimé de qui ? Maintenant que le pays était un champ de ruines, ils faisaient appel à moi, humble petit menuisier ? Le pangolin s'étonna :

– Ça ne te dit rien de redevenir vivant, une autre fois ?

– Non. Tel qu'est aujourd'hui mon pays, ça ne me dit rien.

Le pangolin s'enroula sur lui-même. Il pourchassait l'extrémité de son corps ou s'éclaircissait la voix pour que je puisse l'entendre ? Pourquoi les animaux ne parlent-ils pas comme tout un chacun ? Le pangolin se dressa sur ses pattes de derrière, à la façon de gens tremblant devant moi d'effroi. Il désigna la cour carrée de la citadelle et dit :

– Vois autour de toi, Ermelindo. Même au milieu de ces décombres des fleurs sylvestres ont éclos.

– Je ne veux pas retourner de ce côté-là.

– C'est que cela va être, pour toujours, ton jardin : parmi les pierres mutilées et les fleurs sauvages.

Elles m'énervaient ces divagations de l'écailleux. Je me souvins que ce que je voulais c'était un conseil, une porte de sortie. Le pangolin prit un air grave et dit :

– Toi, Ermelindo, il te faut remourir.

Trépasser à nouveau ? Comme si ce n'avait pas déjà été assez pénible de quitter la vie une première fois ! Ce ne devait même pas être, étant donné la tradition dans ma famille, une entreprise faisable. Mon grand-père, par exemple, a duré des infinités. Il est plus que probable qu'il n'a pas encore clamsé. Le vieux laissait une jambe pendre en dehors de son corps, il dormait auprès de feuillages très dangereux. Il s'offrait, de cette façon, à la morsure des serpents. Le venin, à bonne dose, nous dispense davantage d'existence. C'était ce qu'il disait. Et il semblait que la vie lui donnât raison : il était chaque fois en plus grande forme et de meilleure humeur. Le *halakavuma* ressemblait à mon grand-père, entêté comme une horloge. L'animal me tarabustait :

– Choisis-en un qui soit sur sa fin.

L'endroit le plus sûr n'est-il pas dans le nid du *cobra-mamba ?* Je devais émigrer dans un corps qui soit à la veille du trépas. Monter en stop dans cette autre mort et me dissoudre dans cet achèvement. Ce n'avait pas l'air difficile. Il ne devait pas en manquer à l'asile qui soient sur le point de mourir.

– Ce qui veut dire que je vais devoir me fantasmer dans la peau d'un autre ?

– Tu vas aller t'exercer en tant que fantôme.

– Laisse-moi réfléchir – je dis.

Au fond, la décision était déjà prise. Je faisais seulement semblant d'être maître de ma volonté. Cette même nuit, je transitai à l'état de fantôme. Dit en d'autres mots, je me transformai en « passe-muraille », voyageant avec l'apparence de quelqu'un d'autre. Réoccupant mon propre corps, je n'aurais été visible que du côté face. Vu du côté pile, je n'aurais pas été davantage que le creux d'un trou. Un vide inoccupé. Mais j'allais résider dans un corps étranger. Je me déplaçais de la prison de la tombe dans la prison d'un corps. J'avais interdiction de toucher à la vie, interdiction de recevoir directement le souffle des vents. J'allais voir le monde, depuis mon réduit, s'illucider translucide. Mon unique avantage serait le temps. Chez les morts, le temps foule les pas de la veille. Il n'y a pour eux jamais de surprise.

Au début, je triturai encore des doutes : cet *halakavuma* disait la vérité ? Ou, d'être à si longue distance du monde, il inventait ? Cela faisait des années qu'il ne descendait pas à terre, ses ongles avaient déjà poussé jusqu'à décrire quantité de tours. Si même ses pattes regrettaient le sol, qu'est-ce qui empêchait sa tête d'imaginer des folies ? Mais, ensuite, je me laissai bercer par la perspective du voyage au monde des vivants.

Je m'imprégnai tellement de cette anticipation que je rêvai sans même qu'il ait fait pluie ni nuit. Ce que je rêvai ? Je rêvai qu'on m'enterrait en bonne et due forme, ainsi que le recommandent nos croyances. Je mourais assis, le menton dans la véranda des genoux. Je descendais à terre dans cette position, mon corps reposait sur du sable qu'on avait retiré d'un nid de termites. Un sable vivant, peuplé d'allées et venues. Puis l'on jetait sur moi des mottes de terre avec la douceur de qui lange son enfant. Sans se servir de pelles. En utilisant uniquement les mains. Lesquelles s'arrêtaient quand le sable m'arrivait à la hauteur des yeux. Et là, on plantait en terre tout autour de moi des bois d'acacias. En condition, tous, de faire des fleurs. Et pour convoquer la pluie on me recouvrait de terre humide. Je faisais ainsi mon apprentissage : un vivant foule le sol, un mort c'est le sol qui le foule.

Et je rêvai plus encore : ma mort consommée, toutes les femmes du monde dormaient à la fraîcheur. Ce n'était pas seulement ma veuve, comme c'est l'habitude suivant nos croyances, qui avait interdiction de se mettre à l'abri. Non. C'était comme si toutes les femmes avaient, avec moi, perdu leur époux. Elles étaient toutes souillées par ma mort. Le deuil s'étendait sur tous les villages comme un épais brouillard. Des petites lumières éclairaient le maïs, des mains tremblantes allaient et venaient avec ces loupiotes au milieu des jonchées d'épis. Les champs se lavaient des mauvais œils.

Le lendemain, je me mis à peine réveillé à titiller le *halakavuma*. Je voulais savoir quelle était la personne que j'allais occuper.

– C'est quelqu'un qui va arriver.

– Quelqu'un ? Qui ?

– Quelqu'un qui n'est pas d'ici. Il sera là demain. (Puis, il ajouta :) C'est malheureux que tu ne te sois pas souvenu de moi avant. Une semaine plus tôt, et tout serait déjà réglé. Il y a à peine quelques jours, ils ont tué un type important, là à l'asile.

– Qui, d'important ?

– Le directeur de l'asile. Il a été exécuté.

En raison de cet assassinat un commissaire de police allait arriver de la capitale. Je n'avais qu'à m'installer dans le corps de cet inspecteur, il était sûr qu'il allait mourir.

– Tu vas entrer dans ce policier. Pour le reste, laisse-moi faire.

– Combien de temps vais-je devoir rester là, dans la vie ?

– Six jours. Le temps que meure ce policier.

C'était la première fois que j'allais sortir de la mort. J'allais, du fait de cette première, sans le filtre de la terre, pouvoir écouter les voix humaines de l'asile. Pouvoir entendre les vieillards sans que jamais ils sentent ma présence. Un doute me préoccupait. Et si cela finissait par me plaire d'être un « passe-muraille » ? Si, au moment de mourir pour la seconde fois, je me retrouvais pris de passion pour l'autre rive ? J'étais tout compte fait un mort solitaire. Je n'avais pour lors été qu'un pré-ancêtre. Ce qui me surprenait c'était de n'avoir pas de souvenirs du temps que j'avais vécu. Je me souvenais seulement de certains moments mais toujours de moments extérieurs à moi. Je me souvenais, par-dessus tout, du parfum de la terre au temps des pluies. Voyant la pluie ruisseler tout le mois de janvier, je me demandais : comment savons-nous que cette odeur est celle de la terre et non celle du ciel ? Mais je ne me souvenais guère, malgré cela, d'une seule intimité de mon propre vécu. Etait-ce toujours ainsi ?

Le restant des morts avaient-ils eux aussi perdu leur mémoire privée ? Je ne sais pas. Mon souhait en tout cas, quant à moi, était d'avoir accès à mes instants de vie personnels. Ce dont je voulais surtout beaucoup-beaucoup me souvenir, c'était des femmes que j'avais aimées. Je confessai ce désir au pangolin. Lui, alors, me suggéra :

– A peine tu seras revenu dans la vie, brûle quelques graines de potiron.

– Pourquoi ?

– Tu ne sais pas ? Brûler des pépins fait se souvenir des amants oubliés.

Le lendemain, néanmoins, je repensai à mon voyage du côté de la vie. Ce pangolin était déjà excessivement usé. Pouvais-je avoir confiance dans ses pouvoirs ? Son corps crissait tout comme un tournant. Sa fatigue dérivait du poids de sa carapace. Le pangolin est tel le paresseux – il chemine à portée de sa maison. D'où leurs extrêmes fatigues.

J'appelai le *halakavuma* et je lui communiquai mon refus de me transférer du côté de la vie. Il devait me comprendre : la force du crocodile est l'eau. Ma force c'était d'être loin des vivants. Je n'ai jamais su vivre, même lorsque j'étais vivant. Sûr qu'à présent, plongé dans une chair étrangère, j'allais être rongé par mes propres ongles.

– Ecoute, Ermelindo : vas-y, le temps là est agréable, arrosé par de bonnes petites pluies.

Que j'aille et m'emmitoufle l'âme de vert. J'allais peut-être, qui sait, rencontrer une femme et trébucher en amour ? Le pangolin me passait de la pommade et m'en mettait plein la vue. Il savait que ce ne serait pas facile à ce point. J'avais peur, la même peur que celle qu'éprouvent les vivants lorsqu'ils se voient à l'article de la mort. Le pangolin me garantissait des lendemains plus que parfaits. Tout se déroulerait sur la même, exactement la même véranda, au pied de l'arbre sous lequel j'étais enterré. Je regardai le frangipanier et je sentis comme une nostalgie, une *saudade* anticipée de sa floraison. L'arbre et moi nous nous ressemblions. Qui avait, parfois, arrosé nos racines ? Nous étions tous les deux des créatures allaitées à la bruine. Le *halakavuma* avait lui aussi ses reconnaissances envers le frangipanier. Il désigna la véranda et dit :

– Ici c'est là où les dieux viennent prier.

# 2

# *Premier jour chez les vivants*

Cet homme que je me retrouve occuper est un certain Izidine Naïta, inspecteur de police. Sa profession avoisine celle des chiens : il flaire les affaires sanglantes. Je me tiens dans un recoin de son âme. Je le surveille avec soin afin de ne pas déranger ses intérieurs. Parce qu'à présent, cet Izidine c'est moi. Je vais avec lui, je vais en lui, vais tel que lui. Je parle avec les gens avec lesquels il parle. Je désire celle qu'il désire. Je rêve à qui il rêve.

En ce moment, par exemple, je voyage en hélicoptère, envoyé en mission par la nation. Mon hôte farfouille pour savoir le vrai sur qui a tué Vasto Excelêncio, un mulâtre reponsable de son vivant de l'asile de vieillards de São Nicolau. Izidine allait parcourir des labyrinthes et des imbroglios. J'émigrais avec lui sur le territoire, entre ombre et lumière, de silhouettes vagues, de méprises et de mensonges.

Je guette depuis les nuages, au-dessus des vertiges. Là en bas, qui fait face à la mer, on aperçoit la vieille forteresse coloniale. C'est là que se trouve l'asile, c'est là que je suis enterré. C'est tout de même drôle que je sois passé directement des profondeurs dans ces hauteurs. Je regarde par le hublot. La citadelle de São Nicolau est une toute petite tache qui tient sur un tout petit morceau de monde. Ma tombe, on ne la devine même pas. Vue d'en haut, la citadelle est, avant tout, une faible-frêle. On distingue les décombres, comme un thorax, les côtes à nu, le long de la falaise, face à la plage de rochers. Ce monument dont les colons voulaient éterniser les beautés était maintenant en train de péricliter. Mes ouvrages de menuiserie, ceux que j'avais façonnés, pourrissaient agonisants, sans remède contre le temps et les marées.

Pendant les longues années de guerre, l'asile avait été isolé du reste du pays. L'endroit avait coupé toute relation avec l'univers. Les rochers, le long de la plage, rendaient très difficile l'accès par mer. Les mines, sur la terre ferme, à l'arrière des bâtiments, fermaient le cercle. On atteignait São Nicolau uniquement par air. Les vivres et les visiteurs arrivaient par hélicoptère.

La paix s'était installée, récente, à travers le pays. A l'asile, cependant, peu de choses avaient changé. La citadelle continuait comme devant entourée de mines, et personne n'osait ni entrer ni sortir. Seule parmi les pensionnaires, la vieille Man Nenni s'enhardissait à marcher dans les bois proches. Mais elle était tellement sans poids que jamais elle n'aurait actionné le moindre explosif. Au temps où j'étais mort, j'avais senti les pieds de la petite vieille fouler mon sommeil. Et c'était des caresses, le toucher magique de quelqu'un d'humain.

Pour l'heure, je me déplaçai en contrebande sur cette frontière qui, naguère, me séparait de la lumière. Cet Izidine Naïta, l'homme qui me transporte, n'a plus de destin hors six petites journées. Serait-ce qu'il soupçonne sa fin prochaine ? Et serait-ce à cause de cela qu'il s'empresse à présent, résolu à gagner du temps ? J'accompagne le geste de l'homme qui vient d'ouvrir un porte-documents rempli de feuilles dactylographiées. Je lis *Dossier*, écrit sur la couverture. Et l'on voit une photographie. Izidine demande à tue-tête, en montrant la photo :

– C'était celui-là Vasto Excelêncio ?

– Je peux voir de plus près ?

Je regarde notre compagne de voyage, assise sur le siège arrière de l'hélicoptère. Je regrette de n'avoir pas occupé cet autre corps. Marta Gimo était une femme à contempler et dévorer des yeux. Elle avait été l'infirmière de l'asile jusqu'à la date du crime. Elle s'était absentée uniquement pour se prêter à déposer et porter témoignage à Maputo.

– Je ne vois pas là-dessus la femme de Vasto, dit Izidine en promenant un doigt sur la photographie.

Marta ne réagit pas. Elle regarda la mer, là en bas, comme si une tristesse, brusquement, venait de la traverser. Elle prit la photo et répondit en poussant un soupir :

– A l'époque, sa femme n'était pas encore arrivée à São Nicolau.

Elle retourna à sa réserve, la photo abandonnée sur le siège. Je reportai mon attention sur Izidine et j'eus pitié de cet homme en qui je résidais : il était perdu, bourré de doutes. Que savait-il ? Qu'une semaine plus tôt, un hélicoptère avait fait le voyage jusqu'à la citadelle pour aller chercher Vasto Excelêncio et son épouse Ernestina. Excelêncio venait d'être promu à un poste important au sein du gouvernement central. Toutefois, lorsqu'elle était arrivée à São Nicolau, la délégation ne l'avait pas trouvé en vie. Il avait été assassiné. Sans que l'on sache par qui ni pour quelle raison. Le sûr est que ceux de l'hélicoptère étaient tombés sur le corps de Vasto Excelêncio, étendu-mort sur les rochers de la falaise. Ils l'avaient découvert lorsque l'hélicoptère avait amorcé la descente sur la citadelle.

Dès qu'ils s'étaient posés, ils avaient dévalé la côte pour récupérer le corps. Cependant, lorsqu'ils étaient arrivés sur les rochers, ils n'avaient plus trouvé trace des restes d'Excelêncio. Ils avaient cherché partout alentour. Sans succès. Mystérieusement, le cadavre avait disparu. Les vagues l'avaient emporté, c'était ce qu'ils s'étaient dit. Ils avaient abandonné les recherches et, comme la nuit arrivait, ils avaient repris le chemin du retour. Pendant, toutefois, qu'ils survolaient l'endroit, ils avaient eu la surprise d'apercevoir à nouveau le corps étalé sur les rochers. Comment était-il revenu ? Etait-ce, finalement, qu'il était vivant ? Impossible. On pouvait distinguer les énormes blessures et il ne donnait aucun signe de mouvement. Ils avaient décrit des cercles et des cercles au-dessus du corps mais il était hors de question que l'hélicoptère atterrisse à cet endroit. Et ils étaient repartis vers la capitale. C'est ainsi que les choses s'étaient passées.

– Nous arrivons !

Marta faisait signe à un petit groupe de vieillards. Le pilote nous donna les instructions à tue-tête : à peine touché le sol, il faudrait nous dépêcher de sortir sans traînasser. Le combustible suffisait, tout juste, pour le voyage de retour. Les hélices faisaient de l'écho sur les murs de pierre et des nuages de poussière se soulevaient en tourbillons. Nous sautâmes de l'appareil tandis que les petits vieux reculaient en se couchant comme des chiens. Ils s'accrochaient à leurs vêtements comme s'ils flottaient. L'un d'eux se retenait des deux mains à un mât. On aurait dit un drapeau un jour de grand vent.

Après que l'appareil eut de nouveau décollé, ils retournèrent chacun dans leur coin. Marta circula parmi eux, les saluant à tour de rôle. Izidine voulut s'approcher mais les vieillards s'esquivèrent, farouches et alarmés. De quoi se méfiaient-ils ?

L'hélicoptère s'évanouit en néant à l'horizon et Izidine Naïta commença à se sentir désemparé, perdu au milieu d'êtres qui se dérobaient à toute compréhension humaine. Il était entendu que le même hélicoptère reviendrait, une semaine plus tard, pour le ramener à la capitale. L'inspecteur disposait de sept jours pour découvrir l'assassin. Il n'avait pour l'heure aucune source fiable, aucune piste. Il n'était même pas resté tout ou morceau du corps de la victime. Il lui restait, par contre, des témoins mais dont la mémoire et la lucidité avaient capoté depuis déjà longtemps.

Il posa son sac de voyage sur un banc de pierre. Il regarda autour de lui et s'éloigna le long des remparts de la citadelle. Il ne manquait plus beaucoup pour que le soleil se couche. Quelques chauves-souris se lançaient déjà en vols aveugles depuis l'auvent des toits. Les vieillards se retiraient dans l'obscurité de leurs petites chambres. Le policier ne s'attarda pas, craignant que la maigre lumière ne se tarisse. Comme il revenait, il surprit un des vieillards qui fouillait dans son sac. L'intrus se sauva. Izidine l'appela mais il disparut dans l'obscurité. Rapidement, le policier inspecta le contenu de son sac. Il poussa un soupir de soulagement, le pistolet était toujours là.

– Vous cherchez une lanterne ?

Izidine sursauta. Il n'avait pas vu revenir Marta. L'infirmière lui montra une chambre où s'installer et lui remit une bougie et une boîte avec quelques allumettes :

– Economisez bien la bougie, c'est la seule.

Le policier entra dans la chambre, où il n'y avait déjà presque plus de jour. Il alluma la bougie et sortit le contenu de son sac. Il fit tomber une petite boîte. Il ramassa l'objet : ce n'était pas une boîte. Peut-être, alors, une pièce de bois ? On aurait dit, plutôt, une carapace de tortue. Izidine s'étonna : que faisait cet objet dans son sac de voyage ? Il retourna la carapace entre ses doigts et la jeta dehors par la fenêtre. Puis il sortit de nouveau.

Izidine avait un plan : le soir, il interviewerait, un par soir, chacun des vieux survivants. De jour, il procéderait aux investigations sur le terrain. Après le dîner, il s'assiérait auprès du feu pour écouter le témoignage de chacun. Le lendemain au réveil, il noterait tout ce qu'il avait entendu la veille. Ainsi surgit un petit fascicule de notes, ce cahier avec l'écriture de l'inspecteur fixant les dires des plus anciens et que j'emporte à présent avec moi au fond de ma sépulture. Le petit livre va pourrir avec mes restes. Les vers se nourriront de ces voix d'autrefois.

L'inspecteur se demanda encore qui il allait interroger en premier. Mais ce ne fut pas lui qui en décida. Le premier vieillard apparut au moment où Izidine sortait dans le couloir sur lequel donnaient les chambres. Dans la demi-obscurité on aurait dit un jeune garçon. Il portait une jante de bicyclette. Il s'assit en faisant passer la jante autour de son cou. Izidine le pria de bien vouloir donner sa version de ce qui s'était passé. Le vieillard s'enquit :

– Vous avez de temps toute la nuit ?

Il mit l'homme à l'aise : il avait la nuit entière. Le vieillard sourit, matois. Et il s'expliqua :

– C'est qu'ici, nous parlons trop. Et vous savez pourquoi ? Parce que nous sommes seuls. Même Dieu ne nous tient pas compagnie. Vous voyez là-bas ?

– Où, là-bas ?

– Ces nuages dans le ciel. Ils sont comme ces cataractes dans mes yeux : des taies qui empêchent que Dieu nous ait à l'œil. C'est pourquoi, ici dans la citadelle, nous sommes libres de mentir.

– Avant de vous entendre au sujet de la mort du directeur, je veux savoir si c'est vous qui, hier, avez fouillé dans mon sac !

# 3

# *La confession de Navaïa*

Qui, moi ? Fouiller dans vos affaires ? Vous pouvez demander à tout le monde : je n'ai ni fouillé ni rien touché dans votre sac. Quelqu'un l'a fait. En tout cas pas moi, Navaïa Caetano. Je ne vais pas dire qui l'a fait. La bouche parle mais ne pointe pas du doigt. Sans compter que la chauve-souris a pleuré à cause de la bouche. Mais j'ai vu ce trifouilleur. Oui, j'ai vu. C'était une silhouette en train de charogner dans vos affaires. Cette ombre a voleté et elle s'est posée sur mes yeux, elle s'est posée dans tous les recoins de cette obscurité. On n'aurait jamais dit façon de faire humaine. *Caramba,* j'en ai jusqu'à l'âme qui frissonne rien que de me rappeler.

Mais maintenant je demande : on vous a pris des choses ? C'est que les vieux, ici, ce sont eux-mêmes qui prennent. Ce n'est pas qu'ils volent. Ils prennent seulement. Ils prennent sans jamais aller jusqu'à voler. Je m'explique : dans cette citadelle personne n'a rien qui lui appartienne. S'il n'y a pas de propriétaire, il n'y a pas de vol. C'est bien comme cela n'est-ce pas ? C'est l'herbe ici qui mange la vache.

Je démens le vol mais je confesse le crime. Je le dis tout de suite, monsieur l'inspecteur : c'est moi qui ai tué Vasto Excelêncio. Ce n'est pas la peine de chercher plus loin. Moi, ici présent. Je vais ajouter une autre vérité, encore plus semblable à la réalité : ce mulâtre s'est supprimé lui-même en se servant de mes mains. C'est lui qui s'est condamné, je n'ai fait qu'exécuter son désir meurtrier. Ce que j'ai accompli, l'âme et le corps l'ont fait, mais ce n'a pas été la haine. Je n'ai pas les forces pour haïr. Je suis comme le ver de terre : je n'appelle aucun mauvais vouloir sur personne. Le ver de terre, monsieur l'inspecteur, tel qu'il est, aveugle et plat, qui peut-il haïr ?

Je vous explique, si votre patience permet. Approchez-vous davantage de la lumière, ne vous en faites pas pour la fumée. N'ayez pas peur de vous brûler : il n'y a pas comment m'écouter autrement. Ma voix s'altère, de plus en plus débile à mesure que je dévide ces confidences. Tenez-vous tranquille le temps d'entendre ces comptes rendus. C'est le silence qui fabrique les fenêtres par où le monde se fait transparent. N'écrivez pas, laissez ce cahier par terre. Comportez-vous comme l'eau sur le verre. Qui est une goutte coule goutte à goutte, qui est une brume bientôt s'évapore. Dans cet asile, amplifiez-vous de beaucoup d'oreille. C'est que nous ici nous vivons très oralement.

Tout a commencé avant autrefois. Nous disons : *ntumbuluku*. Cela paraît très loin, mais c'est là que naissent les jours qui sont encore en bouton. La mort de cet Excelêncio était déjà en route avant qu'il soit né. Elle était en route avec moi, l'enfant-vieux.

La malédiction pèse sur moi, Navaïa Caetano : je souffre de la maladie de l'âge anticipé. Je suis un enfant qui a atteint la vieillesse aussitôt sa naissance. Les gens disent que c'est pour cette raison qu'il m'est interdit de raconter ma propre histoire. Quand j'aurai terminé ce compte rendu, je ne serai plus en vie. Ou, qui sait, peut-être encore que si ? Est-elle vraiment vraie cette condamnation ? Peu importe, je prends le risque, je fais des mots la cachette du temps. Au fur et à mesure que je raconte je me sens de plus en plus vieux et fatigué. Vous voyez ces rides sur mes bras ? Elles sont nouvelles, avant de parler avec vous je ne les avais pas. Néanmoins, ne rencontrant ni dérivatif ni soulagement, je poursuis. Je suis comme la douleur qui n'aurait pas de chair où souffrir, je suis l'ongle qui s'entête à naître sur un doigt de pied qui a été coupé. Accordez-moi toute votre patience, commissaire.

Mon oncle maternel, Taulo Guiraze, m'a dit : les autres personnes racontent l'histoire de leurs vies de manière fort légère. Un enfant-vieux non. Tandis qu'avec les autres ce sont les mots qui vieillissent, dans mon cas celui qui vieillit c'est moi. Et il m'a donné ce conseil :

– Mon fils, je te vois une issue. Au cas où tu déciderais un jour de faire le conteur.

– Et ce serait quoi ?

Il avait entendu parler d'un enfant-vieux né à une autre époque, dans un autre endroit. Cet enfant prenait plaisir à raconter son histoire en voyant comment les autres s'affolaient dans l'angoisse de le voir mourir. Les histoires terminées cependant, il demeurait en vie.

– Il n'est pas mort, tu sais pourquoi ? Parce qu'il a menti. Ses histoires étaient inventées de toutes pièces.

Mon oncle m'invitait à mentir ? Lui seul pouvait savoir. Ce que je vais maintenant raconter, au risque de ma propre fin, ce sont des fragments détachés de mon existence. Afin d'expliquer ce qui s'est passé à l'asile. Je sais, je remplis votre écrit de salive. Mais, à la fin, vous allez comprendre ce que je suis en train, là, de vous chanter.

Ma mère, je commence mes dires par elle. Je n'ai jamais vu femme enfanter prolifique à ce point. Combien de fois a-t-elle sauté ses lunes ? Il lui naissait d'enfant tout un tas. Je dis bien : d'enfant, et non pas d'enfants. Car elle mettait au monde à chaque fois toujours le même être. Lorsqu'elle accouchait d'un nouvel enfant, l'enfant précédent disparaissait. Mais tous ceux qui se succédaient étaient identiques, des gouttes se disputant la même eau. Les gens du village croyaient voir là un châtiment, ils la soupçonnaient d'avoir désobéi aux lois des ancêtres. Quelle était la raison de ce châtiment ? Personne ne parlait, mais l'origine du mal tout le monde la connaissait : mon père visitait très souvent le corps de ma mère. Il n'avait pas la patience d'attendre l'intervalle de temps durant lequel ma mère donnait le sein. La tradition l'ordonne : le corps de la femme demeure intouchable aussi longtemps que montent les laits. Mon vieux désobéissait. Il proclama lui-même comment surmonter l'obstacle. Il se munirait pour les amours d'un cordon béni. Lorsqu'il serait en veine d'étriller sa femme, il attacherait l'enfant avec un nœud à la taille. Il pourrait alors faire l'amour sans conséquences.

Ainsi se trouvait résolu, en apparence, le destin maladif de ma mère. Je dis bien, en apparence. Parce que c'est là que commença mon malheur. Maintenant, je sais : je suis né d'un de ces nœuds mal attachés à la taille d'un frère défunt.

Du calme, inspecteur, je vais arriver à moi. Vous ne vous rappelez pas ce que j'ai dit ? Je suis né dans un petit corps fragile, toujours dispensé d'avoir soif. Ma venue au monde semblait avoir été bénie : les six graines d'*hacata* avaient été lancées. Les pépins étaient tombés de la bonne façon, alignés par les bons esprits.

– Cet enfant va sûrement vivre plus ancien que la vie.

Mon grand-père me souleva pour me bénir et il me garda brandi au bout de ses bras. Il observa un silence comme s'il soupesait mon âme. Qui sait ce qu'il cherchait ? Entre les mille animaux de la terre, seul l'homme écoute les silences. Mon grand-père, secoué tout entier d'un grand rire, me ramena bien calé contre sa poitrine. Mais sa joie se méprenait. La malédiction me retombait dessus. Je me rendis compte de cette malédiction les premières fois que je pleurai. Lorsque mes larmes coulaient, à mesure je disparaissais. Les larmes lavaient ma matière, elles dissolvaient ma substance. Mais il n'y avait pas que cela comme signe de ma condition. Auparavant déjà, j'étais né sans parturition. Je n'ai, dépourvu de substance, valu à ma mère aucune souffrance en sortant de son corps. J'ai glissé en bas du ventre, me suis drainé à travers la chair maternelle, plus liquide que le sang lui-même.

Ma mère pressentit très vite que j'étais un envoyé des cieux. Elle appela mon père dont les yeux n'allèrent se poser dans aucune direction. Un homme n'a pas le droit d'affronter son enfant avant que soit tombé le cordon ombilical. Mon vieux fit appeler le devin. L'augure interrogea mes esprits, il éternua, toussa et, cela fait, vaticina :

– Cet enfant ne peut souffrir aucune tristesse. N'importe quelle tristesse, même minime, lui sera rigoureusement mortelle.

Mon vieux, feignant de comprendre, hocha la tête. Cela la fiche mal qu'un homme demande qu'on lui explique la prose d'autrui. Ce fut ma mère qui avoua qu'elle n'avait pas compris.

– Ce que je dis, maman, c'est que, s'il pleure, cet enfant peut ne plus jamais réapparaître.

– Il suffit d'une larme ?

– Moins d'une. Il suffit d'à peine un soupçon de larme.

Les larmes confirmaient mon état d'enfant, démentant du même coup mon corps marqué par l'âge. De nouveau l'augure devint la proie de convulsions. Les esprits parlaient par sa bouche mais c'était comme s'il leur fallait auparavant traverser les profondeurs de ma chair. Alors la voix puissante du devin enchaînait, moitié enrouée, moitié chantante. Elle se déversait en formant des phrases, ou s'élevait par spasmes. Parfois même elle n'était qu'un simple filet, sans corps. Mais un torrent d'autres fois, effarée par sa propre puissance.

J'étais plus nouvellement né que nouveau-né mais j'écoutais déjà avec le plus grand discernement. Le guérisseur me demanda quelque chose en *xi-ndau,* une langue que je ne connaissais pas et que je ne connais toujours pas aujourd'hui. Mais quelqu'un, à l'intérieur de moi, s'empara de ma voix et répondit dans cet idiome étrange. Les osselets de la divination avaient déclaré qu'il fallait me protéger avec un *xi-tsungulo*. Le devin m'enroula des linges en collier autour du cou. Je ne le savais pas mais, à l'intérieur de ces linges, il y avait des remèdes contre la tristesse. Ce fétiche allait devoir me défendre contre le temps.

– Maintenant, va.

Et il expliqua : ces paroles étaient des clefs qui se brisaient dans les serrures une fois les portes ouvertes. Elles ne servaient jamais deux fois. Ma mère garda le silence et c'est ainsi, repliée sur elle-même, qu'elle me traîna sur le chemin de la maison.

– Mère : quelle est cette maladie dont je souffre ?

Ma mère me serra la main avec force ; jamais je n'avais senti une telle fermeté dans la sienne.

– Je ne peux pas parler de ces choses, mon fils.

Elle avait l'air à la veille des pleurs. Mais non, elle se contenta de détourner le visage. Et elle s'éloigna, la tête basse. J'ai hérité de ma mère cette façon d'être triste : c'est uniquement lorsque je ne pleure pas que je crois à mes larmes. Il ne me restait plus dès lors que mon oncle Taulo pour m'éclairer sur mes tourments. Le frère de ma mère me dit :

– Toi, petit Caetano, tu n'as pas un pouce d'âge.

Les choses s'étaient passées de la façon suivante : j'avais vu le jour, et j'avais grandi et aussitôt atteint la vieillesse dans la même journée. La vie des gens s'étend sur des années, s'attardant comme un colis en souffrance qui ne parvient jamais à trouver les mains auxquelles il était destiné. Ma vie, au contraire, s'était prodiguée tout entière en un jour. Enfant le matin, et me déplaçant à quatre pattes. Homme fait l'après-midi, et capable de marcher droit et de parler correctement. Ayant déjà, le soir venu, la peau pleine de rides, la voix qui déclinait tandis que m'étreignait le regret de n'avoir pas vécu.

Passé cette première journée, ma famille appela les villageois et leur demanda d'attendre autour de notre maison. L'enfant né de pareille façon arrivait sûrement porteur de nouveautés, de présages concernant l'avenir du pays. Je ne présentai déjà plus, à ce moment-là, d'apparences engageantes : ma peau accumulait plus de rides que n'en a la tortue, mes cheveux avaient poussé et mes ongles étaient longs et recourbés comme chez un lézard. Je souffrais de faims à répétition et lorsque ma pauvre mère m'offrit le sein je tétai avec une voracité telle qu'elle manqua défaillir. Comme elle se préparait pour une nouvelle tétée, mon oncle Taulo leva le bras et il avisa à la cantonade :

– Qu'aucune femme ne lui donne le sein !

Il était prévoyant. Il se souvenait d'un autre enfant-vieux, lequel avait sucé le sein de sa mère avec de telles avidités qu'elle n'avait pas résisté, elle était morte, desséchée comme la canne dans le pressoir. Les tantes étaient arrivées, elles lui avaient offert le sein : à leur tour elles étaient mortes. Et toujours brandissant le bras, mon oncle Taulo concluait :

– Que personne ne le fasse téter.

Ma mère chassa une mouche invisible et, s'approchant de moi, elle me prit dans ses bras.

– Je ne peux pas laisser mon enfant souffrir de faim, dit-elle.

Et elle sortit un sein de son boubou. Les assistants se voilèrent la face. Tous refusèrent d'être témoin, même mon oncle. Et c'est grand dommage. Car ainsi nul n'a vu comment elle a perdu la vie.

C'est alors qu'ils m'ont excommunié, banni dans cet asile. J'apportais la malédiction, j'étais contaminé par un *mupfukwa*, l'esprit de ceux qui étaient morts par ma faute. Ma maladie c'est d'être né. Je le paie de ma vie. Et une autre condamnation me complique l'existence : lorsque je vais avoir fini de raconter mon histoire, je mourrai. Comme ces mères qui allaitent jusqu'à s'éteindre. A présent, je comprends. L'accouchement est un mensonge ; ce n'est pas à ce moment-là que nous naissons. Nous sommes, bien avant, déjà en train de naître. Nous nous éveillons dans le temps qui précède, avant même de naître. Tout comme la plante qui, dans le secret de la terre, est déjà une racine avant d'étaler sur le monde le vert de ses feuilles.

Qu'est-ce qu'il y a, inspecteur ? Serait-ce que vous entendez la chouette ? Ne craignez rien. Cette chouette est ma maîtresse, je lui appartiens. Elle me protège et me soutient. Toutes les nuits, cet oiseau m'apporte des restes de nourriture. Il vous fait peur. Je vous comprends, inspecteur. Le chuintement de la chouette résonne dans le vide de notre âme. Nous nous hérissons de voir confirmer les béances par lesquelles nous nous vidons de notre substance. Avant, moi aussi j'avais peur. A présent, ce chuintement réchauffe mes nuits. Je m'en vais d'ici sans plus tarder aller voir ce que, ce soir, elle m'a apporté.

Je me perds, dites-vous, je perds le fil. Non, je ne fais pas plus que dissiper des brumes. Quand va commencer votre tâche de tout suspecter, vous allez vous dire que celui qui a tué le directeur c'est le vieux Portugais, Domingos Mourão. Vous ne l'avez pas encore rencontré ? Demain, vous allez le voir. Après avoir parlé avec ce Blanc déjà vous allez vous faire une idée et prendre une décision. Mais faites attention, inspecteur : celui qui a tué Vasto Excelêncio, c'est moi. C'est vrai : le Portugais va vous présenter des raisons d'avoir envoyé le mulâtre ad patres. Mes raisons, toutefois, sont plus puissantes. Vous allez tout de suite vous en rendre compte. Je continue de tirer le fil de mes souvenirs.

Lorsque je suis arrivé à l'asile, j'ai compris que c'était ma définitive, mon ultime résidence. Je me suis effondré à bout de forces, ne trouvai pendant des jours et des jours pas même une épluchure à me mettre sous la dent. Je souffris de faims telles que si je ne suis pas mort c'est parce que la mort ne m'a pas trouvé, si maigre j'étais. Je passai alors un accord avec la chouette et j'ai commencé à recevoir les miettes de ses restes. Après, longtemps après, un nouvel évènement m'a apporté de l'espoir.

Il était arrivé entre-temps à l'asile une vielle femme appelée Man Nenni. Très vite les bruits circulèrent : elle était une sorcière. Une idée m'illumina : si ça se trouve elle peut m'aider à revenir à mon âge véritable ! J'allai parler à cette Man Nenni. D'abord, la sorcière se déroba. Elle disait qu'elle n'avait pas de pouvoirs. Mon espoir se dissipa.

Un jour cependant, sans rien expliquer, elle changea d'idée. Elle m'appela pour me dire qu'elle allait préparer une cérémonie afin d'attraper le *mupfukwa*, ce mauvais esprit qui me persécutait. Elle avait besoin d'un animal, il fallait que du sang soit répandu à terre. Mais cet animal, où allais-je le dénicher ? Je parlai avec la chouette et lui commandai un spécimen vivant. Le même soir m'échut un héron à l'article de la mort. Nous dépeçâmes le héron moribond. Toutefois, le sang de l'oiseau était si léger qu'il n'en tomba goutte sur la terre battue. Il fallut le saigner près du cou. Tout était prêt pour que la cérémonie commence. Man Nenni parla sans ambages : c'était l'esprit de ma mère qui exigeait satisfaction.

– Que veut-elle ? je demandai.

Ma vieille répondit par la voix du *nyanga* : la paix ne me visiterait que si, partagée, échangée, je lui en octroyais. Que je donne libre cours à mon enfance. M'occupe tout le jour à jouer, fasse des rondes de joie à travers la vieille citadelle. Que je sois totalement un vrai petit garçon, afin qu'elle entende mes folies. Et se console dans sa condition de mère.

Dès lors, mes cris et mes rires explosèrent à travers les couloirs de l'asile. J'étais un enfant quasiment à temps complet. Le jour, mon côté enfant gouvernait mon corps. Le soir, la vieillesse me tombait dessus. Je m'allongeais sur mon lit et faisais venir les autres vieillards pour leur raconter un fragment de mon histoire. Mes compagnons étaient au courant du danger mortel qu'étaient ces récits. Je pouvais, à la fin d'un passage, être happé entre les mâchoires de la mort. Ils ne m'en demandaient pas moins de poursuivre mes narrations. Je débitais prose sur prose et ils se lassaient :

– Merde, ce type ne meurt jamais…

– Les histoires vont finir, nous-mêmes nous allons finir et vous allez voir qu'il va encore surrésister…

– Il invente, c'est sûr. Il se débrouille pour éviter la vérité.

C'était vrai que j'inventais. Mais pas tout, ni tout le temps. Un soir, après avoir usé beaucoup de salive je sentis que je me vidais. Je me dis : cette fois ça y est, je foule ma fin ! Des étoiles me passèrent devant les yeux d'un genre comme jamais, en aucune nuit, personne ne devait en avoir vu. Déjà plus un mot ne transitait par ma bouche. Etait-ce que j'étais mort ?

Non, ma poitrine se soulevait encore. Et le plus étrange : tandis que je frôlais la toute dernière frontière, mon corps se débarrassait de ses rides, je perdais l'apparence de la vieillesse. Le terme de ma vie expirait, allais-je éclore ainsi que l'on renaît ?

Les vieillards s'entreregardaient : aurais-je cette fois raconté la vérité ? Je sentis que certains parmi eux pleuraient. Ils avaient, dans un premier temps, très fort souhaité voir le spectacle d'une mort. A présent, ils se repentaient. Parce que, finalement, celui qui mourait en moi n'était aucunement semblable à eux. C'était un enfant, un être tout entier dans l'enfance. Et cet enfant ne pouvait pas mourir. Un regret impromptu de mes enfantillages les étreignit. J'étais la seule lumière qui pénétrât la sombre enfilade des couloirs. Ma roue, qui allait désormais la faire rouler ? Cette jante de bicyclette qui faisait auparavant tant de tapage dans les couloirs, qui allait désormais lui faire faire des tours et des tours à donner le vertige ?

Me voyant mourir, ils prirent une décision. Il fallait qu'une cérémonie ait lieu, urgente et authentique. Il fallait intercéder pour le salut de cet enfant, moi, Navaïa Caetano. Et ils s'attelèrent aux préparatifs : des tambours, des boubous, des linges dissimulés. Tout cela pour apaiser l'esprit, le *muzimo* qui m'avait occupé.

– Finalement, nous possédions nous-mêmes tant de choses ?

Oui, ils s'inventèrent jusqu'à des tambours. Se pourvurent de chaudrons, de conduits de canalisation. Bref, la tristesse a l'art de faire de tout une musique. La veille au soir, ils avaient préparé le *tontonto* qui enivre et envire. Ils avaient volé des nourritures dans le magasin de l'asile. Ils festoyèrent pendant des heures, buvant et s'empiffrant plus que de raison. De temps à autre, ils jetaient un œil sur mon lit : je résistais toujours. Alors, ils se remettaient à danser, à chanter. Même le vieux Blanc était emporté par la danse. La sorcière mit ses deux mains sur le visage du Portugais et lui dit :

– Je veux savoir quelle langue parle ton démon.

Ainsi parla Man Nenni, sans cesser d'ordonner aux gens de continuer à danser. Ensuite, les herbes à fumer passèrent de main en main et les parfums se répandirent à faire tourner les têtes.

– Je vois la mer, dit le Blanc.

Il n'y avait pas à s'étonner : le Portugais n'arrêtait pas de voir la mer, il ne voyait même jamais que la mer. La sorcière alors, battant l'air de ses bras à grands gestes désordonnés, entra en transe. C'était comme si son corps sortait de son âme. Une autre voix à travers ce qu'elle disait commença, venue des profondeurs, à se manifester. Je demandai aux autres de se taire :

– Laissez-moi écouter !

– L'esprit parle portugais.

– C'est du portugais, ça ? On n'y comprend goutte…

C'était bien du portugais mais la langue d'autrefois. L'esprit était celui d'un soldat blanc qui était mort dans le patio de cette citadelle. Ce Portugais, dit la sorcière, attendait un bateau, en regardant la mer.

– Il est comme toi, Domingos, toujours en train de regarder la mer.

– Mais je n'attends aucun bateau.

– C'est ce que tu crois, vieux.

– Taisez-vous vous autres, laissez entendre l'esprit.

– Oui, nous voulons savoir qui est ce soldat.

Le soldat était tombé malade, il était presque devenu fou. A tant regarder la mer, ses yeux avaient changé de couleur. La dernière chose qu'il avait vue ç'avait été l'arrivée de la tempête, le blanc veuvage du héron. Ensuite, ses yeux avaient disparu. Il lui était resté seulement deux cavités, des antres par où personne n'aurait osé épier. Il était mort sans enterrement, sans un ultime adieu…

Brusquement, un grand fracas retentit. A croire que la guerre était revenue. Nous arrêtâmes la danse et regardâmes Man Nenni, pleins d'inquiétude. Elle nous rassura : ce n'étaient que des nuages là-haut qui s'entrechoquaient. Je regardai le ciel mais il n'y avait aucune trace de nuage. Dans le fond constellé de la nuit, je ne distinguai rien d'autre que le passage furtif d'un oiseau prédateur. Il traversait, souverain, la clarté de la nuit. Etait-ce la chouette ? Sur ce, un second fracas retentit, celui-là bien terrestre. Je regardai : ce n'était, au bout du compte, que le directeur de l'asile qui s'acharnait à coups de pied contre le tonneau de *tontonto*. La boisson se déversa, irrécupérable, sur le sol. Même les ancêtres n'avaient pas besoin de boire à ce point.

– Qu'est-ce que c'est que ce merdier ? Qu'est-ce qui se passe ici ?

Notre cérémonie était brutalement interrompue par Vasto Excelêncio. Le directeur passa la mesure, sa bouche salit nos noms.

– Je ne l'ai pas déjà dit que ces singeries sont interdites à l'intérieur de l'asile ?

Les autres vieillards expliquèrent : cette cérémonie c'était afin de me sauver. Le mulâtre me regarda, stupéfait. Il s'approcha de mon lit comme s'il voulait s'assurer de mon identité. Lorsque ses yeux rencontrèrent les miens, ce fut comme si un coup le terrassait. Il secoua la tête, se frotta les paupières pour faire le noir dans sa vision. Puis, il me tourna le dos et proclama :

– Ou vous me mettez immédiatement de l'ordre dans ce merdier ou je mets le feu à tout, boissons, vieillards, enfants et tout.

Et il sortit. Les vieillards se regardèrent, vidés plus encore que le tonneau de *tontonto*. Man Nenni se leva et s'approcha de mon lit. Elle souleva le drap et commença à me frotter les jambes avec des huiles. *Les forces vont lui revenir*, elle dit. Je sentis une chaleur me tanner les os à l'intérieur. Au bout d'un moment, la sorcière m'encouragea à sortir du lit :

– Va maintenant, Navaïa. Fais ce que tu as à faire se faire…

Sans effort, je me relevai. Il y avait comme une main invisible qui me poussait. Et les voix m'exhortaient :

– Toi qui es un enfant, tu as les forces de l'enfance.

– Oui, Navaïa, va maintenant tuer ce fils d'une moins-que-rien…

Je fermai les yeux. Finalement, ç'avait été pour que je tue que la mort m'avait disputé mon corps ? Je m'ébrouai, décrispai mes mains. Soutenu par les vieillards, je me traînai jusqu'à la porte. Sur le seuil, le clair de lune m'inonda. Alors seulement je remarquai le poignard qui brillait, justicier, dans ma main droite.

# 4

# *Deuxième jour chez les vivants*

Le matin du second jour j'attendais qu'Izidine se réveille. Ce serait son deuxième réveil de la matinée. Marta l'avait déjà fait sortir du lit une première fois. Elle lui avait apporté un bol de thé. Que le policier avait avalé d'un trait, les yeux noyés de sommeil. Entre les rats, les cafards, et les cauchemars, il ne lui restait guère beaucoup de tête. Marta éclata de rire en le voyant dans cet état et elle le laissa pour qu'il se repose encore un peu. Le policier se rendormit presque immédiatement. Il n'avait qu'à peine dormi de la nuit toute cette nuit ! Soupçonnait-il ma présence au fond de lui ? Ç'aurait été beaucoup se méfier : je suis moins que la neige sur une toile d'araignée.

Izidine se réveilla à nouveau quelques heures plus tard. Il regarda longuement avant de sortir ses vêtements éparpillés sur une vieille table. Se pouvait-il qu'il les ait abandonnés dans un pareil désordre ? Brusquement, à côté de son chapeau, il vit la même carapace que celle qu'il avait la veille au soir jetée par la fenêtre. Il se leva et la ramassa. Il la rangea dans une des poches de son manteau. Puis il entreprit de mettre à exécution un plan qu'il avait tracé d'avance : descendre sur la plage pour arpenter les rochers et peut-être même pousser jusqu'aux brisants. C'était à cet endroit que, de l'hélicoptère, ils avaient aperçu le corps.

La mer était basse, elle laissait à découvert de grands espaces de sable et de rochers. On entendait les mouettes, leurs stridences sinistres. Et on entendrait bientôt les *choris-choris*, ces petits oiseaux qui appellent la marée haute. La mer monte et descend sur l'ordre des oiseaux. Il n'y a pas si longtemps, c'était encore les *tchos-tchos-tchos* qui commandaient aux eaux de se retirer. Etrange qu'un être gigantesque comme l'océan prête ainsi obéissance à d'aussi infimes et minuscules oiseaux.

Il avait, jadis, existé un mouillage près du récif. Moi-même, Ermelindo Mucanga, j'avais travaillé à charpenter cette plate-forme. La mort avait interrompu ma tâche. Et l'Indépendance avait empêché la fin des travaux. Ensuite, la mer s'était vengée sur ce port inachevé. Il restait un chantier de pierres. Et des troncs qui s'obstinaient à flotter alentour.

Izidine s'assit sur le sable mouillé. Le bruit des vagues l'aidait à réfléchir. Tout semblait indiquer que le crime avait été commis par plus d'une seule personne. Il avait fallu plusieurs bras pour transporter le corps d'un homme comme Excelêncio. A moins, qui sait, que le crime n'ait été commis là sur place, près des rochers ?

Il regarda du côté de la barrière et aperçut Marta. Elle l'espionnait, à suivre ainsi ses allées et venues ? L'infirmière procédait comme si elle lui soupçonnait des intentions cachées. Après que, ce matin-là, elle lui eut apporté du thé, elle avait refusé de l'accompagner.

– Je ne veux pas compliquer les choses. Vous suffisez déjà bien à vous les compliquer vous-même.

– Excusez-moi, je n'ai pas compris…

Marta se tut, gênée. Elle se détourna, façon de remettre à plus tard l'explication demandée. Elle finit, néanmoins, par consentir à parler tout en faisant semblant de nettoyer une poussière sur la chemise de l'inspecteur :

– Ce que l'on trouve dans cette vie ne tient pas au fait que nous l'ayons cherché.

A son avis, le policier n'avait pas autre chose à faire que de s'asseoir et de se tenir tranquille. Ce monde autour de lui n'était pas le sien, il devait le respecter. Ne rien exiger et tout laisser à sa place, même les silences et les absences. Izidine était bourrelé de doutes. Le vieillard-enfant, la veille au soir, l'avait déjà suffisamment empoussiéré. Navaïa Caetano l'avait engagé à écouter la mer. Parce qu'au-delà du grondement des vagues des plaintes humaines allaient lui parvenir.

– Des plaintes ? s'était étonné Izidine. De qui ces plaintes ?

– Des trépassés, avait répondu Caetano.

Et il n'avait plus rien dit. Le policier était intrigué. Pourquoi Marta Gimo l'invitait-elle à présent à, pratiquement, tout le contraire ?

– On m'a engagé hier à bien écouter. Vous me demandez le contraire.

– D'écouter pour entendre quoi ?

Il répéta le conseil énigmatique de Navaïa. Que voulait-il dire ? Il aurait aimé que Marta l'aide à voir clair. Mais elle sourit en faisant non de la tête. L'infirmière se faisait prier. Izidine revint à la charge. Pour finir, elle se laissa faire. Ce que le vieux avait dit c'était que, sous la rumeur des flots, se dissimulaient les voix des naufragés, des pêcheurs noyés, des femmes suicidées. Du milieu de ces lamentations allaient lui parvenir les propres cris de Vasto Excelêncio. Le policier sourit, dédaigneux, avec scepticisme. Marta le reprit :

– Vous voyez comme vous êtes arrogant ? Eh bien, sachez que, matin après matin, le mort crie le nom de l'assassin.

– Je n'en crois rien.

– Matin après matin, le mort clame des serments de vengeance.

Assis à présent tout près du déferlement des vagues sur les brisants, l'inspecteur se remémorait les paroles de l'infirmière. Et il souriait. Qui sait, Marta avait peut-être raison ? Il avait fait ses études en Europe, n'était retourné en Mozambique que quelques années après l'Indépendance. Ce temps d'absence limitait sa connaissance de la culture, des langues, des mille petites choses qui façonnent l'âme d'un peuple. Une fois rentré en Mozambique, il avait presque aussitôt commencé à travailler dans des bureaux. Ses allées et venues quotidiennes se réduisaient à un petit périmètre autour de Maputo. Guère beaucoup plus. A la campagne, il n'était guère plus qu'un étranger.

Il se leva et se secoua pour enlever le sable. Son geste marquait un certain agacement, comme s'il voulait se débarrasser non pas des grains de sable mais de ses propres souvenirs. Il se mit à marcher sur les rochers. Jusqu'à tomber sur un fusil. Ce fusil n'était même pas caché. Il donnait l'impression d'avoir été déposé là par les vagues. Il inspecta les alentours. Il y avait des morceaux de bois. Qui ressemblaient aux débris d'une jangada. Une embarcation dans ces parages ? Alors que tout le monde lui avait affirmé que la mer de ce côté était impraticable ? Il se souvint des paroles du vieux Navaïa :

– La mer ici charrie plus de traîtrise que de vagues.

La nuit précédente, Navaïa lui avait raconté une histoire. Qui s'était passée il y a fort longtemps, lorsqu'un des vieillards avait tenté de s'enfuir par l'eau. Il avait improvisé une jangada et avait pris la mer. Mais les rochers et l'océan avaient, comme par magie, échangé leur apparence. Ce que le fugitif croyait être des vagues, brusquement, s'était solidifié, changé en pierre. Et les rochers, se dissolvant, s'étaient liquéfiés. L'embarcation s'était disloquée. Le vieillard qui avait rêvé pouvoir s'évader s'était retrouvé Gros-Jean comme devant.

Savoir si Navaïa ne tirait pas cette histoire de son imagination ? Qu'il l'ait ou non inventée, le sûr est que cette mer n'invitait pas au voyage. Mais était-ce vrai, finalement, cette histoire de la jangada ? Et était-ce vraiment la preuve, ce qu'il avait sous les yeux, de cette fugue frustrée ? La perplexité marqua d'une ride le front de l'inspecteur : on lui cachait quelque chose. Distrait, il ne remarqua pas que la nuit arrivait. Il dut se hâter sur le chemin du retour. Il devait ce soir-là rencontrer le Portugais, Domingos Mourão. Il l'attendit dans le patio, mais le vieillard était en retard. Le policier s'assit sur le parapet entourant le fort, avec dans les oreilles la rumeur, au loin, de l'océan. Brusquement, il crut entendre des voix du côté de la plage.

– Ce bruit, ce ne sont pas des gens.

C'était Marta qui arrivait, sortant de l'obscurité, enveloppée dans son boubou. Elle s'approcha, s'arrêta près de l'inspecteur. Ils demeurèrent ainsi, semblables à deux sentinelles silencieuses contre la citadelle.

– C'est la mer qui fait ce vacarme ?

– Ce n'est pas non plus la mer. Tout ce bruit c'est seulement la nuit. Là d'où vous venez, il y a beau temps que les gens ne sont plus habitués à entendre la nuit.

Et Marta s'assit, en ramenant le boubou sur ses jambes. Elle commença alors à fredonner en sourdine une chanson ancienne, de celles qui servent pour bercer les enfants. Izidine se sentit emporté très loin, au-delà de tout le possible à venir.

– Ma mère aussi me chantait cette mélodie.

Mais Marta n'était déjà plus là. Elle s'était éclipsée, ombre vagabonde. Le policier s'attarda encore un moment, essayant de déchiffrer les sons qui arrivaient des brisants. Ses paupières étaient devenues lourdes et le sommeil finit par le terrasser. Il se réveilla, au bout de quelques minutes. Une main le rappelait à la réalité. C'était le vieux Portugais :

– Venez voir la mer de là-haut.

Domingos Mourão se tenait en équilibre sur un banc de pierre, à côté du frangipanier. Ainsi juché, les yeux sur l'horizon, il s'enquit :

– Pardonnez mon indélicatesse. Serait-ce que vous êtes né près de la mer ?

Izidine répondit que non. Le Portugais dit qu'il avait entendu parler d'un pays lointain où les vieillards allaient, le soir, s'asseoir le long de la plage. Ils attendaient ainsi en silence. La mer arrivait et choisissait celui qu'elle allait emporter.

– Qui sait si, cette nuit, ce n'est pas moi qui vais être l'élu ?

Et le vieux Portugais, fermant les yeux, se retira dans un silence prolongé. Après quoi, il parla.

# 5

# *La confession du vieux Portugais*

– Comme la mer se sent bien à cet endroit !

Voilà ce que je dis, cet après-midi-là. Je parlais avec quelqu'un ? Non, je devisais avec les vagues qui s'écrasaient en bas, sur la plage. Je suis portugais, Domingos Mourão de mon nom de naissance. Ici, on m'appelle Xidimingo. Cela m'a valu bien des affections d'être ainsi rebaptisé : un nom comme celui-là m'évite la fatigue de me souvenir de moi. Vous me demandez, monsieur l'inspecteur, des souvenirs qui soient récents ? Si vous, vous voulez savoir, je raconte. Tout a toujours eu lieu ici, sur cette véranda, et sous cet arbre, le frangipanier.

Ma vie s'est enivrée du parfum de ses fleurs blanches au cœur jaune. En ce moment il ne sent rien, en ce moment ce n'est pas le temps des fleurs. Vous êtes noir, inspecteur. Vous ne pouvez pas comprendre combien j'ai toujours aimé ces arbres. C'est qu'ici, dans votre pays, il est le seul qui perde ses feuilles. De tous les arbres le frangipanier est le seul qui se dénude ainsi, il fait comme si allait survenir un Hiver. Lorsque je suis arrivé en Afrique, après je n'ai plus jamais senti l'Automne. C'était comme si le temps arrêtait son cours, comme si c'était toujours la même éternelle saison. Seul le frangipanier me restituait ce sentiment du passage du temps. Non que j'aie encore besoin aujourd'hui de sentir passer les jours. Mais le parfum de cette véranda me guérit des nostalgies des années que j'ai vécues en Mozambique. Et quelles années ce furent !

Quand, cela fait maintenant vingt ans, l'Indépendance a été proclamée, ma femme s'en est allée. Elle est retournée au Portugal. Et elle a emmené le petit qui était déjà en âge de trotter. En partant, mon épouse m'a encore invectivé en disant :

– Toi, reste et que je ne te revoie plus de ma vie.

Je me sentais comme si j'étais entré dans un marécage. Ma volonté était pâteuse, mes envies comme embourbées dans ce marais. Certes, je pouvais partir, quitter le Mozambique. Mais jamais je n'aurais été capable de partir pour une nouvelle vie. Je suis quoi, une petite lueur de rien du tout ?

Je vous conte une histoire. Que l'on m'a racontée, c'est une très vieille histoire, du temps de Vasco de Gama. Il y avait, dit-on, en ce temps-là, un vieux Noir qui allait et venait sur les plages, occupé à récolter des épaves de navires. Il ramassait des restes de naufrages et les enterrait. Il se trouve qu'une des planches qu'il avait plantées dans le sol inventa de faire des racines et de revivre faite arbre.

Eh bien, monsieur l'inspecteur, je suis cet arbre. Je viens d'une planche d'un autre monde, mais mon sol c'est cette terre, des racines me sont renées ici. Ce sont ces Noirs qui me sèment chaque jour. Je vous tresse des histoires, je rabâche ? N'en croyez rien, j'arrive au fait, pareil au hanneton qui tourne deux fois autour du trou avant d'entrer. Excusez mon portugais, je ne sais déjà plus quelle langue je parle, j'ai ma grammaire toute barbouillée et de la couleur de cette terre. Ce n'est pas seulement mon parler désormais qui est différent. C'est ma pensée, inspecteur. Même que le vieux Nhonhoso se désole de voir à quel point je me suis désaportuguaisé. Je me souviens comment il m'a dit un jour :

– Toi, Xidimingo, tu appartiens au Mozambique, et ce pays t'appartient. Ce n'est pas douteux. Mais ça ne te fait pas froid dans le dos à l'idée d'être enterré ici ?

– Ici, où ? j'ai demandé.

– Dans un cimetière d'ici, en Mozambique ?

J'ai haussé les épaules. Je n'ai même pas chance ici, dans cet asile, d'être dans un cimetière. Mais Nhonhoso a insisté :

– C'est que tes esprits n'appartiennent pas à ce pays. Enterré ici, tu vas être un mort sans jamais de repos.

Enterré ou vivant, la vérité c'est que, du repos, je n'en ai jamais. Vous allez en entendre sur le compte du vieux Portugais. Ils vont sûrement vous dire ce que j'ai fait et suis devenu. Que je suis même allé jusqu'à mettre le feu aux champs qui s'étendent là-bas derrière. Même que c'est vrai : oui, j'ai mis le feu à cette savane. Mais je l'ai fait pour une raison qui me regarde, je suis seul à l'avoir voulu. Chaque fois que je regardais les arrières de la citadelle je voyais la savane à perte de vue. Face à toute cette dévastation, il me venait des instincts de flammes et de cendres.

Aujourd'hui, je sais : l'Afrique nous vole notre être. Et elle nous vide a contrario : en nous remplissant d'âme. C'est pourquoi j'ai toujours la même envie aujourd'hui de mettre le feu à cette savane. Pour la soustraire à l'éternité. Afin qu'elle cesse de me hanter. C'est que je suis tellement déplacé, tellement exilé que je ne me sens plus désormais loin de rien, ni éloigné de personne. Je me suis livré corps et âme à ce pays comme on se convertit à une religion. Je ne souhaite plus rien présentement à part être une pierre de cette terre. Mais pas n'importe quelle pierre, une de celles que personne jamais ne foulera. Je veux être une pierre du bord des chemins.

Je reviens à mon histoire, ne vous inquiétez pas. Où en étais-je ? Au départ de mon épouse. C'est ça. Après qu'elle fut partie, la confusion, les troubles se sont succédé. Je vous le dis avec tristesse : le Mozambique que j'ai aimé se meurt. Il ne reviendra jamais. Il me reste seulement ce tout petit espace où je me tiens à l'ombre de l'océan. Ma nation est une véranda.

Dans cette petite patrie, je me suis répandu toutes ces années, tel un estuaire : je flue, ensommeillé, zigzaguant sans regret. Je me suis requinqué à l'ombre, tout contre ce petit murmure, comme si c'était une berceuse du temps de ma naissance. Seules mes jambes, de temps à autre, mes jambes fatiguées, m'inconvenaient. Mais mes yeux, compensant les douleurs de l'âge, peuplaient l'horizon d'hirondelles.

Vous savez, cher inspecteur, il y a beaucoup de mer au Portugal mais il n'y a pas autant d'océan. Et j'aime tellement la mer que je dirais presque que ça me plaît d'avoir mal au cœur. Ce que je fais ? Je lampe de ces boissons traditionnelles, comme les préparent les gens d'ici, et je me laisse zoulouluner. De sorte que, dans l'ivresse, je gagne l'illusion de voguer en haute mer, emporté au gré d'une barque. La même raison m'attache ici, sur la véranda du frangipanier : je fais provision d'infini, m'enivre petit à petit. Oui, je sais le danger que c'est : qui confond eau et ciel finit par ne plus distinguer vie et mort.

Je parle beaucoup de la mer ? Laissez-moi vous expliquer, monsieur l'inspecteur : je suis comme le saumon. Je vis dans la mer mais je n'ai de cesse de revenir à l'endroit de mes origines, luttant victorieux contre le courant, franchissant les chutes d'eau. Je retourne au fleuve qui m'a vu naître pour déposer ma semence et mourir ensuite. Néanmoins, je suis un poisson qui a perdu la mémoire. A mesure que je remonte le fleuve, je m'invente une autre source, différente. C'est alors que je meurs du manque et regret de la mer. Comme si la mer était le ventre, le seul ventre qui puisse encore me faire naître.

Je m'outrepasse à bavarder de la sorte. Je vous prie de m'excuser, ce n'est pas d'aujourd'hui que j'ai perdu l'habitude de vivre avec des gens qui ont des tâches et des urgences. C'est qu'ici il n'existe personne qui ait la moindre fonction qui soit. Car, que faire ? Avec mon ami Nhonhoso, je dis ceci : il est encore trop tôt pour que nous nous mettions en peine de faire quelque chose tandis que nous attendons qu'il soit beaucoup trop tard. Dans tout cet asile j'ai toujours été le seul Blanc. Le restant ce sont de vieux Mozambicains. Tous Noirs. Nous n'avons pour seul office eux et moi que d'attendre. Attendre quoi ? Ce que vous devriez c'est vous joindre à nous dans ce farniente. Ne vous faites pas de mouron, laissez votre montre tranquille. Dorénavant, je vais aller droit au fait : je reprends là où j'en étais resté, sur cette même véranda où nous sommes présentement.

Voilà, cela s'est passé un après-midi, où tout ce bleu m'est apparu ultime : la dernière mouette, le dernier nuage, le dernier soupir.

– A présent, oui : il ne me reste plus à présent qu'à mourir.

Je pensais ces choses parce que les gens, dans cet asile, déclinent en mourant si lentement que nous ne nous en rendons même pas compte. La vieillesse, qu'est-ce que c'est sinon la mort en stage dans notre corps ? Dans les effluves sucrés du frangipanier, j'enviais la mer qui, parce qu'elle est infinie, attend toujours que d'autres eaux viennent la compléter. Je filais cette conversation en tête à tête avec moi-même. Toutes les heures, lorsqu'on est vieux, sont celles de la conversation. Je priais Dieu ce jour-là à voix haute qu'il veuille bien me retirer de la vie :

– Dieu : je veux mourir aujourd'hui !

Elles me font encore frémir ces paroles définitives. C'est que j'éprouvais un bonheur tranquille, aucune douleur ne m'importunait. Il me manquait, cependant, compétence pour mourir. Ma poitrine obéissait au va-et-vient des vagues, comme si me revenaient des souvenirs d'un temps qui existe seulement en dehors du temps, là où le vent désentortille sa queue géante. Ils ont de la veine ces amis autour de moi qui continuent de croire que chaque jour est le troisième jour, propre aux résurrecitations.

Mais je réclamais de mourir cet après-midi où ne passait aucun nuage et où le ciel était inhospitalier pour des mouettes. Ce n'était pas seulement la mer qui me communiquait ce désir de ne m'achever jamais. C'étaient les fleurs du frangipanier. Comme si j'étais devenu un parent de la terre. Comme si celui qui fleurissait c'était moi.

– C'est vrai, la mort aujourd'hui ne va sûrement pas me faire mal.

– Attends un peu que c'est encore moi qui fais ce que je veux de toi.

C'étaient des paroles qui ne sortaient pas de ma bouche. Je n'avais pas vu venir Vasto Excelêncio, ce fils de la plus grande pute au monde. Excelêncio était un mulâtre, grand et solidement bâti, toujours bien de sa personne. Le type riait, me toisant de toutes ses épaules :

– Tu veux vraiment mourir, vieux ? Ou ça ne serait pas plutôt que tu es déjà mort et que, simplement, on ne t'a pas informé ?

Cela m'écorcha, comme si c'était des dires proférés par la gorge d'un animal. Le mulâtre poursuivit, cherchant comme toujours à me faire tourner bourrique :

– N'aie pas peur, vieux râleur. Pas plus tard que demain, je fiche mon camp d'ici.

Stupéfait, je restai coi : le salopard nous tirait la révérence comme ça, sans crier gare ? Et comment fichait-il son camp ?

– Tu me crois pas ?

Je secouai la tête, pour dire non. Vasto tourna autour du frangipanier, pareil au torero lorsqu'il évalue le cou du taureau. Il cherchait vraiment à me blesser :

– Et tu sais quoi encore, vieux ? Je vais prendre ma femme avec moi. Je vais emmener Ernestina. Hein, tu entends, vieux ? Tu ne dis rien ?

– Quoi rien ?

– Ernestina partie, qui c'est que tu vas z'ieuter ? Hein ? Comment tu vas faire, vieux ?

Je me gardai de répondre. Vasto m'invitait à prendre la mouche et me quereller ? Je n'avais rien d'autre à faire que de ne pas broncher. Jusqu'à ce que, sautant sur ses pieds, il me tire violemment par les poignets.

– Tu sais pourquoi je t'ai toujours maltraité, Mourão ? Toi qui es un ange tombé des cieux lusitaniens ?

Je fis semblant de prendre le ciel à témoin, rien que pour éviter qu'il en vienne aux coups. Je me remémorai tous les sévices infligés au long de ces années. Le directeur se cala, les deux pieds sur ma cheville.

– Je te fais mal ? Comment c'est possible ? Les anges n'ont pas de pieds !

Ainsi, forçant de tout son poids à l'endroit où mon corps était le plus douloureux, c'était plus encore mon âme que piétinait le mulâtre.

– Tu fais semblant d'être de pierre. Eh bien, alors : c'est pas fait, la pierre, pour qu'on marche dessus ?

J'endurai, sans ciller. L'haleine puante du maudit me giclait dessus. Une litanie d'insultes jaillit en cascade de sa bouche. Il me saisit par les oreilles et me cracha à la figure. Puis, cessant enfin de m'écraser, il s'écarta. Alors, je donnai libre cours à d'anciennes fureurs : je m'emparai d'une pierre, visai le maudit à la tête. Une main inespérée arrêta mon geste.

– Ne faites pas ça, Xidimingo.

C'était Ernestina, la femme de Vasto Excelêncio. Elle m'entraîna vers le banc de pierre. Ses mains me redessinèrent le dos.

– Asseyez-vous là.

J'obéis. Ernestina me passa les doigts dans les cheveux. Je humai l'air autour de moi : aucune senteur ne me parvint. C'était moi qui inventais ses parfums ?

– Vous ne comprenez pas la raison de ses méchancetés, n'est-ce pas ?

– Non.

– C'est parce que vous êtes Blanc. Il a besoin de vous maltraiter.

– Et pourquoi ?

– Il a peur qu'on l'accuse de racisme.

Là, sincèrement, je ne compris pas. Mais, il faut dire, près d'elle comme je l'étais, je n'en avais nul besoin, je ne demandais plus à comprendre. La seule chose que je fis fut de me lever et de cueillir une brassée de fleurs. Les pétales, fragiles, eurent vite fait de se détacher dans le geste que je fis pour les offrir. Ernestina porta les mains à son visage.

– Mon Dieu, comme j'aime ce parfum.

Je me sentis plein de contenance dans mon costume des dimanches. Je n'avais déjà plus aucune idée des jours et des semaines. Tous les jours pour moi avaient une saveur de dimanche. Peut-être voulais-je précipiter le temps qui me restait ? Ernestina me demanda :

– Vous n'avez jamais de regrets ?

– Moi ?

– Oui, quand vous regardez la mer, vous n'avez pas le cœur serré ?

Je secouai la tête. Des regrets ? De qui ? Au contraire, elle me plaît bien cette solitude. Je vous jure, inspecteur. Ça me plaît d'être loin de tous les miens. De ne pas savoir leurs plaintes, leurs maladies. De ne pas voir comment ils vieillissent. Et, surtout, de ne voir mourir aucun des miens. La mort, ici, je suis loin d'elle. Et c'est là un des petits agréments qui me restent. L'avantage d'être loin, à toute une aussi longue distance, c'est de n'avoir aucune famille. Mes parents, mes amis d'autrefois sont là-bas, derrière toute cette mer. Ceux qui meurent disparaissent tellement loin, c'est comme s'ils étaient des étoiles qui tombent. Ils s'éteignent sans faire de bruit, sans que l'on sache où ni quand.

Prenez ce que je vous dis là au sérieux, monsieur l'inspecteur : jamais vous n'allez découvrir la vérité sur ce mort. Pour la première raison que ces amis que j'ai, des Noirs, jamais ils ne vont vous raconter la réalité. Pour eux vous êtes un *mezungo*, un Blanc comme moi. Et ils ont appris, depuis des siècles, à ne jamais s'ouvrir en présence de *mezungos*. On les a enseignés de la façon suivante : que s'ils ouvraient leur cœur devant un Blanc, ils finiraient sans âme, volés au plus intime d'eux-mêmes. Je sais ce que vous allez dire. Vous êtes Noir, comme eux. Mais demandez-leur plutôt ce qu'ils voient en vous. Pour eux vous êtes un Blanc, un de l'extérieur, quelqu'un qui ne mérite pas leurs confiances. Etre Blanc ce n'est pas une question qui dépend de la race. Vous le savez que c'est vrai, non ? Ensuite, il y a plus important. La propre vie qu'on mène. Pour ma part, inspecteur, je ne crois déjà plus à la vie. Les choses font seulement semblant d'arriver.

Vasto Excelêncio est mort ? Ou il n'a fait simplement que muter, que cesser d'être vu ?

Je termine, inspecteur. J'ai assassiné le directeur de l'asile. Si je l'ai fait pour causes de jalousie ? Je ne sais pas. Je crois que nous ne savons jamais la raison lorsque nous tuons par passion. Là, maintenant que les choses ont refroidi, il me vient une explication : ce même après-midi, au moment de dire au revoir à Ernestina, je me suis aperçu qu'elle s'arrangeait pour que, d'un côté comme de l'autre, on ne puisse pas bien la regarder. Je me suis rendu compte, pour finir. Son visage était tuméfié, bleu d'avoir été frappé.

– Vasto vous a encore battue ?

Elle a détourné le visage. Sa main m'a serré comme entre les bras d'une pince, exigeant que je garde mon calme. *Laissez, ce n'est rien*, dit-elle. Et elle s'en est allée, la tête dans l'ombre de ses épaules. Cette femme que j'aimais tant n'était pas simplement qu'une personne. Elle était toutes les femmes, tous les hommes qui avaient été brisés par la vie. Tout, alors, m'est apparu très simple : Vasto allait devoir disparaître, je devais le tuer le plus vite possible. J'ai seulement attendu le soir. Il traversait toujours, à cette heure-là, un passage étroit, à découvert, reliant sa chambre à la cuisine. Je lui préparai un piège à cet endroit. Je hissai une grosse pierre, prête, au-dessus du passage, à tomber le moment venu sur Vasto Excelêncio.

Et maintenant laissez-moi seul, inspecteur. Cela m'est pénible de rameuter mes souvenirs. Parce que la mémoire m'arrive déchirée, en morceaux qui ne s'assemblent pas. Je veux le repos de n'appartenir qu'à un seul lieu, je veux la tranquillité de ne pas avoir la mémoire partagée. Etre tout entier d'une même vie. Et avoir de la sorte certitude de mourir en une seule fois. Cela m'est pénible d'égrener tant de petites morts, celles que nous sommes les seuls à noter, à l'obscur de notre intimité. Laissez-moi, inspecteur, car je viens de mourir encore un coup.

# 6

# *Troisième jour chez les vivants*

C'était mon troisième jour dans la citadelle. Izidine se noyait à force d'hésitation. Les dépositions des vieillards le lançaient sur des pistes qui avaient l'air fausses mais qu'il ne pouvait ignorer. Ces vieillards étaient des témoins essentiels mais c'était de Marta Gimo qu'il lui fallait obtenir les informations les plus savoureuses. L'infirmière, cependant, se dérobait avec subtilité. Elle refusait de marquer des heures de rendez-vous. Elle invoquait son travail. Mais, pour ce qu'en on pouvait voir, elle ne vaquait nullement à ses occupations d'infirmière. Elle passait des heures à jouer avec les vieillards, devisant et plaisantant avec chacun. Elle parlait leurs différentes langues et le policier n'avait aucune idée de ce qu'ils se disaient. Il était au moins certain d'une chose : c'était à son propos que riaient Marta et les vieillards, lui qui faisait les frais de leurs plaisanteries.

Cet après-midi-là, le policier s'approcha de Marta. Elle était assise auprès de Navaïa. Il semblait bien qu'elle soit cette fois-là, de fait, en train d'exercer son métier.

– Asseyez-vous là. Je m'occupe de Navaïa.

Le vieillard-enfant avait remonté ses jambes de pantalon, laissant à découvert ses mollets pareils à des bâtons. Marta expliqua que plusieurs cas de lèpre avaient été détectés parmi les pensionnaires. Elle était train de vérifier s'il n'y avait pas de récidive. Navaïa Caetano commentait la maigreur de ses jambes.

– C'est le temps, madame l'infirmière. Le temps est comme la fumée, il va nous desséchant les chairs.

Marta Gimo sourit, patiente. Elle s'approcha plus près du vieillard et lui découvrit le dos pour s'assurer que n'avait réapparu aucun signe de la maladie.

– Ne me sentez pas comme ça, infirmière.

– Et pourquoi pas ?

– C'est qu'il sort de mon corps une odeur de cierge éteint, un relent de chose morte.

Il arrêta l'infirmière d'un geste de la main pour inspecter lui-même ses mollets. Il attrapa quelque chose qu'il écrasa entre ses doigts.

– Vous voyez cette puce, infirmière ?

– Je ne vois rien.

– Cette puce n'est pas à moi. Je connais mes puces, celle-là n'est pas à moi.

L'infirmière sourit et lui ordonna de rajuster son pantalon.

– Qu'est-ce que tu manges en ce moment, Navaïa ?

– De ces miettes qu'on me laisse par là.

– Ne commence pas à me seriner cette histoire de chouette, Navaïa. Ce genre d'histoires tu peux les raconter à l'inspecteur, pas à moi.

Puis Marta lui donna une petite tape dans le dos :

– Ça va, tu peux aller, il faut que je parle avec l'inspecteur.

Navaïa s'éloigna à contrecœur : la curiosité le retenait à cet endroit. Par deux fois, faisant semblant de chercher sa jante, il revint sur ses pas. Lorsque, finalement, ils se retrouvèrent seuls, Marta tendit une main au policier.

– Avant que j'oublie ! on m'a demandé de vous remettre ça.

Et elle déposa au creux de la main droite d'Izidine un petit objet. C'était une carapace, exactement semblable à celles qui avaient fait leur apparition dans sa chambre.

– Qui vous a donné ça, infirmière ?

– Je crois que j'ai oublié, inspecteur.

Elle parlait, un sourire ironique aux lèvres. Elle détachait les syllabes en prononçant le mot « inspecteur » comme si elle proférait une insulte. Izidine feignit d'ignorer son ton sarcastique. Il alla droit à ce qui l'intéressait :

– J'ai trouvé un fusil, hier, près des rochers.

– Un fusil ? C'est impossible. Vous avez dû vous tromper…

L'inspecteur perdit patience. Et il se mit à vociférer contre l'infirmière : qu'elle n'avait pas le moindre souci de l'aider. Qu'elle cachait quelque chose. Et que ce comportement tombait sous le coup de la loi.

– Ecoutez, monsieur l'inspecteur : le crime qui a été commis ici n'est pas celui à propos duquel vous enquêtez.

– Qu'est-ce que vous voulez dire par là ?

– Regardez ces vieillards, inspecteur. Ils vont tous mourir.

– Cela fait partie de notre destin à tous.

– Mais il ne s'agit pas que de cela, vous comprenez ? Ces vieillards ne sont pas que seulement des gens.

– Que sont-ils, alors ?

– Ils sont les gardiens d'un monde. Et c'est tout ce monde-là qui se meurt.

– Pardonnez-moi, mais ces choses, pour moi, sont de la philosophie. Je suis un simple policier.

– Le vrai crime que je vois se perpétrer ici c'est qu'on est en train d'exterminer les temps d'antan.

– Je ne comprends toujours pas.

– On est en train d'éliminer les dernières racines susceptibles d'empêcher que nous devenions comme vous…

– Comme moi ?

– Oui, monsieur l'inspecteur. Des gens sans histoire. Des gens qui n'ont d'existence que mimétique.

– Du baratin. La vérité c'est que les temps changent. Ces vieillards sont une génération du passé.

– Mais ces vieillards, c'est en nous qu'ils meurent.

Et se frappant la poitrine, l'infirmière insista :

– C'est là, au fond de nous, qu'ils sont en train de mourir.

Marta Gimo se leva et tourna le dos. Izidine se repentit d'avoir discuté ainsi avec l'infirmière. Marta était une source d'informations qu'il devait exploiter. C'était manquer de jugement que de la faire fuir seulement parce qu'ils avaient eu des mots. Il ne disposait plus que de trois jours. Il ne pouvait se permettre de gâcher du temps. Et encore moins de perdre le contact avec celle qui, de façon chaque fois plus évidente, apparaissait comme l'unique passerelle pouvant aider à lever le voile sur la mort de Vasto Excelêncio.

Tard, ce soir-là, alors qu'il se préparait pour la nuit, il entendit des cris de femme. Il courut dans le dédale des couloirs. Les cris venaient de la chambre de Marta. C'était elle qui criait. Le policier se précipita, revolver au poing, à l'intérieur de la chambre. Tout était plongé dans l'obscurité, il était impossible de voir contre qui se débattait l'infirmière. Izidine, volant à son secours, s'interposa pour la protéger contre l'adversaire invisible. Pendant que, sans succès, il tentait de localiser l'intrus, Marta roula à terre. Et brusquement, elle éclata de rire. Toujours roulant sur elle-même et riant à s'étrangler, elle franchit le seuil et sortit dans le clair de lune. La combinaison révélait son corps en transparence.

– Mais c'était qui ? demanda Izidine.

– Une chauve-souris !

Sa voix était entrecoupée de rires. Izidine Naïta ne trouva pas les forces ne serait-ce que d'un sourire. Il se vit, comme si un miroir lui renvoyait son image : spadassin, en caleçon de nuit. Marta s'approcha et lui passa la main dans les cheveux.

– Vous voyez ? Nous sommes couverts de poils de chauve-souris.

Elle riait, la tête rejetée en arrière. Elle lui demanda de rentrer son arme.

– Vous savez ce que nous devrions faire maintenant ?

– Qu'est-ce que nous devrions faire ?

– Oui, si nous étions de ceux qui suivent la tradition, vous savez ce que nous devrions faire ?

– Je n'en ai pas la moindre idée. Nous devrions, est-ce que je sais, prendre un bain ?

– Nous devrions faire l'amour.

Pris de court, le policier sourit. Embarrassé et ne sachant que dire, il s'empressa de la saluer. Il entendit encore les dernières paroles, derrière lui, de l'infirmière :

– C'est dommage que vous ne soyez pas de ceux qui suivent la tradition. Vraiment dommage, vous ne trouvez pas ?

# 7

# *La confession de Nhonhoso*

Vous avez parlé avec le vieux Portugais ? Je parie qu'il vous a raconté quelque chose à propos de cette fois où il était assis sous le frangipanier. Eh bien, je ne l'ai pas oublié non plus cet après-midi-là. Je suis arrivé sur la véranda et j'ai vu le vieux Blanc qui dormait. J'ai respiré, soulagé : ce que j'allais faire exigeait beaucoup d'ombre et le moins d'yeux possible. Je me suis approché sur la pointe du pied, j'ai brandi ma machette en l'air et j'ai asséné le premier coup. La lame est entrée profond dans le tendre du tronc. Jamais je n'aurais pensé que le Blanc allait se réveiller. Je me trompai. Xidimingo a explosé, moulinant des bras :

– Qu'est-ce que tu fais là, espèce de salopard !

– Tu ne vois pas ? Je vais couper cet arbre.

– Arrête ça, Nhonhoso de merde, cet arbre est à moi.

– A toi ? Va-t'en de là, Blanc, ne m'embête pas.

Jamais on ne s'était parlé de cette façon. Domingos Mourão, notre Xidimingo, s'est dressé et, vacillant, il s'est jeté sur moi. Aussitôt, nos deux violences conjointes, nous en sommes venus aux mains. Le Blanc me décochait des bourrades, on aurait dit qu'il était habité par l'esprit d'un animal. Mais très vite, avec nos coups de pied et coups de poing dévitaminés, le combat est devenu une misère. Seules nos deux respirations faisaient du boucan dans nos poitrines fatiguées. Nous nous sommes séparés, faute d'entraînement.

– Tu n'arrêtes pas de vouloir me donner des ordres. Dis-toi bien une chose : le colonialisme c'est fini !

– Je ne veux donner d'ordres à personne…

– Comment ça tu ne veux pas ? Moi, les Blancs, je ne leur fais pas confiance. Un Blanc c'est comme le caméléon, il ne déroule jamais toute sa queue…

– Et vous, les Noirs, vous parlez mal des Blancs mais tout ce que vous voulez c'est d'être comme eux…

– Les Blancs sont comme le *papegai-urubu* : nous savons ce que nous avons avalé parce que nous sommes restés avec la gorge en feu.

– La différence entre toi et moi c'est que moi, mes cheveux restent sur le peigne, tandis que toi, ce sont les peignes qui te restent dans les cheveux.

– Tais-toi, Xidimingo. Que t'en es un qui rote et qui pète.

Le vieux Blanc riait dans sa barbe. Puis il s'est mis en devoir de se récupérer. Son cou lui faisait mal comme un torticolis à celui d'une girafe. Il est resté un moment immobile, les yeux mi-clos. Il avait l'air d'avoir perdu conscience.

– Ça va, Mourão, tu respires ?

– Hé là ! Nhonhoso : t'as pas eu ton compte, tu veux que je cogne encore une fois ?

– C'est toi qui l'as eu ton compte, et pas qu'un peu, espèce de vieux Blanc...

– Attends que je me repose un brin et tu vas voir le coup de poing que tu vas prendre.

– Pour me donner un coup de poing, faudrait que tu te reposes un siècle...

Nous nous sommes regardés tous les deux, sérieux. Puis, brusquement, nous avons éclaté de rire. Nous nous sommes mis à frapper dans nos mains et à applaudir. Notre querelle n'avait été qu'une dispute de sauterelles, cet animal sans chair ni fruit. Et là, je lui ai dit :

– Eh bien, Xidimingo, je te remercie rudement.

– Pourquoi ?

– *Caramba !* Un peu plus j'allais mourir sans avoir tabassé un Blanc.

– T'appelles ça tabasser ? Ce que j'ai pris c'étaient des caresses...

– Pas du tout. Je t'ai arrangé des coups de poing tout ce qu'il y a d'authentique.

– Nhonhoso, dis-moi une chose, vieille canaille : pourquoi voulais-tu le couper cet arbre ?

J'ai posé la machette sous le banc. J'ai expliqué : je n'avais pas d'autre intention que celle de venir en aide à Man Nenni. La malheureuse avait déjà épuisé toutes les herbes de *nkakana* qu'il y avait aux abords du fort.

– Mais pourquoi a-t-elle besoin de tout ce *nkakana ?*

– Pour faire monter le lait, fortifier les seins.

– Du lait ? La vieille a dépassé les quatre-vingt-dix.

Nous parlions de Man Nenni, celle qui entendait allaiter les enfants de son imagination, des gamins abandonnés pendant la guerre. Ses petits-enfants, à ce qu'elle disait. La vieille était devenue la cible des rumeurs. On disait : elle a tué son mari pour garder ses enfants et elle a tué ses enfants pour garder ses petits-enfants. On disait et on dit. Moi, je ne sais pas. Ce que je sais, c'est que Man Nenni aurait été chassée de chez elle à la suite de ces morts, accusée de sorcellerie.

– Cette vieille est folle, Nhonhoso...

– Je ne sais pas, Blanc, je ne sais pas. En ce monde, je n'ai déjà plus aucune certitude. Même que je me demande : les cornes naissent avant le bœuf ?

Le vieux Blanc s'est penché pour ramasser une fleur qui était tombée de l'arbre. Les fleurs du frangipanier étaient une nourriture pour les yeux du Portugais : il les regardait tomber telles des écailles du soleil, de blanches transpirations des nues.

– Je suis sur la rive du mourir, Nhonhoso. Le ciel commence même pour moi juste au-dessus de ces feuilles, je peux déjà quasiment le toucher...

J'ai frémi en entendant ces mots. Ce Blanc m'avait été tellement un compagnon ces dernières années que je ne pouvais m'imaginer sans son existence.

– Pas du tout, Blanc. Nous allons nous asseoir encore bien des après-midi sur cette véranda.

– Je suis vieux, mon frère. Tellement vieux que j'en oublie même parfois d'avoir des douleurs.

Ses yeux se sont emplis du parfum des fleurs. Il a tendu le bras et passé la main sur le frangipanier comme si à partir de cet arbre singulier il fabriquait tout une forêt entière, sa pénombre, ses gazouillements.

– Touche, toi aussi, Nhonhoso, vois comme cela fait du bien à ton corps.

C'est à ce moment-là que, regardant mes mains, j'ai pris peur :

– Oh là, Mourão : on m'a volé mes ongles !

– Montre-moi. C'est arrivé, c'est sûr, pendant cette raclée que je t'ai donnée, tes griffes sont tombées…

– Non. Tu ne vois pas qu'on me les a découpés avec une lame ? Ça c'est le travail de Man Nenni, la filoute veut me préparer un sort avec mes ongles.

L'incident m'angoissait à me faire venir les larmes. Le Portugais m'a dit alors une chose que je ne suis pas près d'oublier :

– N'aie pas peur, moi aussi je suis sorcier.

– Sorcier ! ?…

– Je connais des magies de Blancs. Ne t'inquiète pas. Personne ne te fera rien.

Ce n'étaient pas seulement des craintes qui m'assaillaient. J'étais triste à en avoir les yeux qui me brûlaient.

– C'est qu'ils étaient mes derniers ongles. Je ne vais plus avoir assez de vie pour qu'il m'en repousse d'autres.

– Ecoute, toi, Nhonhoso ! Tu as encore devant toi le temps de quantité d'ongles. Je sais quand une personne va mourir : c'est lorsqu'elle se réveille avec un nombril dans le dos.

– Ne me fais pas rire.

– C'est la pure vérité ; nous naissons avec le nombril dans le ventre, nous mourons par l'autre côté. Mon oncle, par exemple, s'est réveillé avec son ventre à l'envers. Le jour même il a tiré sa révérence.

– Toi, Blanc, tu me feras toujours rire. Tu es une bonne personne.

– C'est là que tu te trompes, Nhonhoso : je ne suis pas bon. Ce que je suis c'est ralenti dans les méchancetés.

Le vieux Blanc s'est tu, plongé dans ses chimères. Il s'est mis à remuer les doigts, attentif à bien les compter. Pourquoi faisait-il ainsi sur les doigts de chaque main cette énumération ? Avait-il peur lui aussi d'avoir perdu ses ongles ?

– Je compte mes doigts, pour voir s'il m'en manque.

Il avait peur de la lèpre qui sévissait autour de nous. J'ai éclaté de rire, déjà en meilleure disposition :

– Eh bien, tu es rassuré, Mourão ? Nous savons nous battre, nous !

– Ça m'a plu, même que je t'ai envoyé un coup en plein dans la gueule.

– Merde ! on aurait dit le Frelimo contre le colonialisme.

– Nous Blancs, nous gagnons toujours. Pendant cinq cents ans, nous avons toujours été vainqueurs. C'est nous qui avions les armes…

Le Portugais, pauvre de lui, se raccrochait ferme à cette illusion. Il ne comprenait pas le passé. Ce n'était pas les armes qui nous avaient battus. Ce qui c'était passé c'est que nous, Mozambicains, nous avons cru que les esprits de ceux qui arrivaient étaient plus anciens que les nôtres. Nous avons cru que les sorciers des Portugais étaient plus puissants. C'est pourquoi nous avions laissé qu'ils nous gouvernent. Allez savoir si leurs histoires n'étaient pas plus capables d'enchanter ? Moi le premier, comme en ce moment, j'aimais bien écouter les histoires du vieux Portugais. Une fois de plus, je lui demandai qu'il m'entretisse de ses fantaisies.

– Je suis fatigué, Nhonhoso.

Le fatiguaient, oui, les choses sans âme. L'arbre au moins, disait-il, a une âme éternelle : la terre elle-même. On touche le tronc et on sent le sang de la terre qui circule dans l'intime de nos veines. Il s'est arrêté, il ne bougeait plus, les paupières flétries.

– Tu respires, Mourão ?

– Je respire, Nhonhoso. A présent reste une petite minute en silence pour écouter la mer.

Nous avons contemplé, un temps, la quiétude trompeuse de la mer. Le ciel se parsemait des premières étoiles.

– Mais cet arbre, pourquoi tu lui donnes autant d'importances ?

– Laisse-moi converser avec la mer.

Je me suis tu et je suis allé m'asseoir à côté du Portugais. J'éprouvai à ce moment-là grande pitié de lui. Ce petit homme fluet allait mourir ici, loin de ses ancêtres. Il serait enterré en terre étrangère. Lui, oui, était condamné à la plus terrible des solitudes : rester loin de ses morts sans que jamais, de ce côté de la vie, des proches soient là pour lui prodiguer des soins. Nous avons nos dieux là, à côté de nous. Son Dieu à lui était loin, bien au-delà de toute vue et entrevue.

– Tu pries Dieu, Xidimingo ?

Il a fait non de la tête. Il a répondu qu'il priait seulement lorsqu'il ne voulait pas parler avec Dieu. J'ai souri, façon de camoufler la gravité de l'offense.

– Tu sais, Nhonhoso : j'ai déjà récolté beaucoup de désillusions avec Dieu.

– C'est-à-dire ?

– Je donne un exemple : ce Dieu est très paresseux, tu le savais ?

– Mensonge. Dieu retient les étoiles, des millions d'étoiles depuis des millions de nuits. Tu l'as vu parfois être fatigué ?

– Ecoute ce que je te dis, le type est un paresseux.

– Et pourquoi dis-tu ça ?

– Parce qu'il ne travaille pas : il ne fait que des miracles.

– Retire ce que tu as dit, frère. Que c'est un péché mortel.

– Même Dieu s'en contrebalance du péché. La seule chose qu'il veut, Dieu, tu sais ce que c'est ? C'est décamper du Paradis. Ficher le camp de cet asile.

– Bon, là-dessus nous sommes semblables à Dieu.

Le Blanc, brusquement, en a eu assez de ces parlotes. Il a fait valoir que nous étions là à perdre notre salive alors que l'affaire se résumait à la façon dont j'avais maltraité son frangipanier. Il a dit que nous, les Noirs, nous ne pouvions pas comprendre, nous n'aimions pas les arbres. Là, je me suis fâché : comment ça nous n'aimons pas les arbres ? Nous les respectons comme s'ils étaient notre famille.

– C'est vous, Blancs, qui ne comprenez pas. Même que je vais t'apprendre une chose que tu ne connais pas.

Et je lui ai raconté au sujet de l'origine des temps. Au début, le monde était composé uniquement d'humains. Il n'y avait pas d'arbres, pas d'animaux, pas de pierres. Il n'existait que les hommes. Toutefois, il en naissait tellement, d'humains, que les dieux se rendirent compte qu'ils étaient de plus en plus démesurément égaux. Alors, ils décidèrent de faire que certains humains deviennent des plantes, certains autres des animaux. Et d'autres encore des pierres. Résultat ? Nous sommes tous frères, arbres et animaux, animaux et humains, humains et pierres. Nous sommes tous parents, issus de la même matière.

J'avais raconté de mon mieux. Mais le Portugais paraissait n'avoir rien entendu. Il a secoué la tête et dit :

– Tu ne comprends pas, tu ne peux pas comprendre. Je vous vois qui rêvez de grosses voitures, de grandes propriétés...

– Et toi peut-être, tu rêves des toutes petites ?

– Ma seule ambition c'est d'avoir un arbre à moi. Les autres, il leur faut des forêts, je veux seulement un petit arbre dont je puisse prendre soin et que je voie grandir, fleurir.

– Tu parles de Man Nenni, de ses loufoqueries. Elle au moins, ses rêves donnent de quoi manger à des enfants.

Nous étions fatigués maintenant de la conversation. Nous avons décidé de dormir là, à la belle étoile. Nous en avions notre compte de coucher à l'intérieur, en proie aux poux, aux rats, aux cancrelats, avec dans les oreilles le ronflement des vieillards. Nous nous sommes allongés l'un contre l'autre, tête-bêche. Nous commencions déjà à nous assoupir quand Mourão, tout à coup, m'a secoué :

– Hé là, pas la peine de se serrer de trop près.

Est-ce que, par hasard, il se méprenait sur mon désir de nous réchauffer ? Et je le croyais déjà en train de dormir quand encore une fois je l'ai entendu :

– Nhonhoso, tu dors ?

– Pas encore. Qu'est-ce qui se passe, mon frère ?

– C'est quelque chose que je n'ai jamais trouvé l'occasion de demander. C'est que nous Blancs, il paraît que nous avons les piles toutes petites.

– Moi aussi, j'ai entendu dire ça. Montre un peu la tienne, Xidimingo.

– Tu es fou. Je ne peux pas montrer. (Après une pause, il a repris :) Toi, si tu veux, regarde.

Le Portugais a desserré l'élastique de son caleçon, en contractant le ventre.

– C'est vrai – j'ai confirmé.

– C'est vrai comment ?

– Elle est presque un rien pas très grande.

Le Portugais n'a pas accepté la conclusion. Il s'est rebiffé. Je ne voulais pas d'une nouvelle discussion. Et, tout de suite, nous avons convenu :

– Demain, à la première heure, nous pourrons comparer, quand elles en sont encore, gentiment réveillées, à faire des heures supplémentaires.

Nous nous sommes endormis de ce sommeil des vieilles gens qui est léger et qui dure peu. De temps en temps, je surveillais la respiration du Portugais. Au milieu de la nuit, il m'a encore réveillé en sursaut, me désignant du doigt :

– Nhonhoso, t'es en train de rêver, vaurien que tu es…

– Hé là ! Pourquoi tu me secoues comme ça, t'as failli m'enlever mon sommeil.

– C'est ce qu'il fallait pour que t'arrêtes de rêver…

– Hé là, Mourão, laisse tomber. Démystifie-moi plutôt ce doute : est-ce que nous rêvons toujours de femmes ? Je rêve toujours de la même femme…

– Qui est-ce ?

– C'est Marta, oui, Marta. Aussi qui l'oblige, cette fille, à se déshabiller comme ça, devant tout le monde ?

– Moi, qui j'aime reluquer, c'est la femme du chef, cette mulâtresse bien en chair…

– Ernestina ? Toi, méfie-toi : Excelêncio est bien capable de crever l'œil reluqueur.

Et nous nous sommes recouchés. Il nous a fallu un moment, vieilleries que nous étions, pour rejoindre le sol. A notre âge chaque mouvement exige un corps que désormais nous n'avons plus. Le Blanc à nouveau m'a interrompu, demandant si j'avais un couteau, à défaut le moindre petit bout de lame.

– Et pourquoi un couteau ?

– C'est pour que je rêve également.

Rêver ? J'ai préféré rire. Le vieux Mourão croyait qu'on rêve uniquement lorsqu'il y a du sang. Il tenait mordicus que c'était vrai. Le rêve ne lui venait pas si ne lui coulait ce rouge que nous avons à l'intérieur. Xidimingo, cette nuit-là, il n'y avait pas moyen qu'il se tranquillise :

– Nhonhoso ?

– Laisse-moi dormir, Xidimingo.

– C'est seulement une question : tu as déjà vu le héron quand il s'endort ?

– Oui, pourquoi ?

– Il se cache la figure sous son aile. Comme l'homme lorsqu'il pleure. Le héron a honte de dormir au vu et su du monde. Nous devrions faire comme lui au moment de nous endormir…

Finalement, il a été vaincu par le sommeil. J'attendais ce moment. Le Portugais avait parlé des hérons qui s'endorment à l'abri de leurs propres ailes. Mon héron, c'était Marta Gimo. Qu'il fasse froid ou qu'il pleuve, elle dormait nue à même le sol. Elle s'abritait au creux de ses propres bras. C'était moi qui, nuit après nuit, la sauvait du froid. Marta ne le savait pas, personne ne savait. Je me suis relevé pour aller guetter celle qui me plaisait tant.

J'emportais avec moi la couverture, pour le cas où elle pourrait servir. Tandis que je me rendais à l'endroit, derrière les cuisines, où Marta avait l'habitude de s'endormir, je me suis mis tout seul à rire de moi. Cette course avec la couverture sur le dos était ce qui me restait d'un passé glorieux de voleur de femmes sans hommes, de galant réputé, gâté par le succès. Je me suis fait cette réflexion :

– Autrefois je les couvrais avec mon corps, aujourd'hui je les couvre avec une couverture.

Je riais dans ma barbe lorsque j'ai vu passer Vasto Excelêncio. Il allait à pas de loup, prenant grand soin de ne pas être vu. Il se dirigeait du côté des cuisines. Il a disparu dans les fourrés. Lorsque de nouveau je l'ai aperçu, il parlait avec Marta. Ils étaient assis tous les deux, tout près l'un de l'autre. S'ils discutaient ? Oui, Marta s'énervait.

Tout à coup, il lui a mis les mains sur les épaules comme pour l'obliger à se coucher. Marta s'est débattue. J'ai décidé sur-le-champ d'intervenir. Il y avait pourtant beau temps que j'avais passé l'âge pour des voies de fait. A peine je me suis avancé, j'ai glissé et je me suis étalé de mon long le plus long. J'ai essayé de me relever mais, de nouveau, je me suis retrouvé par terre. Quand, enfin, j'ai réussi à m'approcher de Marta, Vasto avait déjà déguerpi. La fille pleurait. Elle a levé les bras dès qu'elle m'a vu, montrant qu'elle ne voulait pas que je m'approche. Ce Vasto fils de pute avait fait de la peine à celle que j'aimais tant.

La colère a décidé pour moi : je devais rompre le cou à ce démon. J'ai couru me mettre en embuscade au fond du couloir où il finirait bien par passer. Lorsque je l'ai vu qui arrivait, je lui ai sauté dessus avec des forces inespérées que je suis allé me chercher dans le passé. J'ai coincé le type contre le mur, je cognais, lui écrasais la tête contre le mur, et je lui ai bâillonné le museau avec la couverture jusqu'à lui faire sortir le dernier souffle.

C'est ainsi que cela s'est passé, inspecteur. C'est moi qui ai retiré la vie de ce mulâtre. J'ai tué par amour. Un vieillard comme moi peut aimer. Il peut aimer au point de tuer.

# 8

# *Quatrième jour chez les vivants*

Le policier était bien décidé, le lendemain matin, à dégager une ouverture dans ce labyrinthe. Il se dirigea dès la première heure du côté des cuisines. Il tenait à entrer dans l'entrepôt afin de se rendre compte de ce qu'on y conservait. En chemin, il tomba sur Marta qui dormait encore. Ce n'est qu'une fois parvenu à sa hauteur qu'il remarqua qu'elle était nue. L'infirmière se réveilla en sursaut, l'inspecteur fit preuve de savoir-vivre, il détourna les yeux. Il s'excusa en faisant mine de s'éloigner afin qu'elle puisse se rajuster. Mais elle demeura telle qu'elle était et appela le policier :

– Ne partez pas, je fais toujours ça.

– Comment ça ?

– Je dors nue à même le sol.

Il attendit que Maria remette quelque chose sur elle. Mais elle se leva et, dans le même appareil, toujours sans se couvrir, manifesta qu'elle était prête à bavarder. D'abord, elle se justifia : elle ne le faisait nullement à cause des rats ou des poux. Elle dormait dehors parce que les chambres, à l'intérieur de l'asile, lui donnaient la même sensation de tristesse que des cercueils sans sépulture. Et il y avait autre chose : elle dormait ainsi, sans vêtements, afin de recevoir de la terre des forces secrètes.

– Même ici, dans cet endroit abandonné, je sens encore ce parfum qui vient du tréfonds là, des entrailles du monde.

– Peut-être ce parfum vient-il de vous et non de la terre.

– Qui sait ? Couchée ainsi, par terre, je me sens jumelle du sol. N'est-ce pas comme cela qu'on dit : la femme fait de la terre une autre femme ?

– Marta, je veux vous demander une chose. Mais répondez-moi avec franchise…

– Ai-je jamais fait autre chose ?

– Je… je veux savoir si vous avez eu une relation avec Vasto Excelêncio.

– Une, deux, quantité de relations…

– Je parle sérieusement, je veux savoir si vous avez été amants.

Elle réfléchit avant de répondre. Brusquement, elle dit : Je vais m'habiller, je reviens tout de suite. Elle s'éloigna derrière un mur, s'attarda un court instant. Elle réapparut, recouverte seulement d'un boubou. Elle revenait l'air pressé, le visage fermé, nullement décidée à prolonger la conversation.

– Il faut que j'aille voir le vieux Navaïa. Il a mal dormi la nuit dernière. Vous voyez qui c'est, le vieillard-enfant…

– Oui, il a été le premier à déposer.

– Il a bien failli hier soir arriver au bout de son histoire. J'ai vu le moment où il allait passer. Il faut que j'aille le voir.

– Attendez, Marta, dit Izidine en lui barrant le chemin. Vous devez me répondre.

– Je dois ! ? Et pourquoi donc devrais-je ?

– Parce que je… je suis une autorité.

– Vous, ici, vous n'êtes et n'avez aucune autorité.

Evitant le policier, elle s'éloigna. Izidine la rattrapa et la retint par le bras. Elle s'arrêta et lui fit face, si proche que sa respiration brouillait les traits d'Izidine. Elle fit un effort pour se libérer. En vain. Ce qui se passa fut que le boubou tomba, exposant derechef la nudité de la femme. Elle rattrapa le tissu, se réimprovisa une allure décente.

– Marta, vous devez me répondre. Je dois faire mon travail.

– Sortez de mon chemin. Moi aussi, je dois travailler.

De nouveau, l'infirmière tenta de s'éclipser. L'inspecteur serra avec plus de force le bras qui se dérobait. Il devint très grave.

– Ecoutez-moi bien, espèce de petite infirmière de secteur. Je n'avance pas. Je sais à présent pourquoi c'est vous qui faites tout ce qu'il faut pour saborder mon enquête.

– Moi ?

– Oui, c'est vous qui êtes là, à mettre je ne sais quoi dans la tête de ces vieux, pour qu'ils inventent des bêtises et me confondent…

– Ce ne sont pas des bêtises. C'est vous qui ne comprenez rien à ce qu'ils sont en train de vous dire.

– Je ne comprends rien ?

– Tous, tant qu'ils sont, sont en train de vous dire des choses de la plus grande importance. C'est vous qui ne parlez pas leur langue.

– Je ne parle pas leur langue ? Mais nous parlons tout le temps en portugais ? !

– Mais eux parlent une autre langue. Un autre portugais. Et vous savez pourquoi ? Parce qu'ils n'ont pas confiance en vous. Je vous pose seulement cette question : pourquoi est-ce que vous n'avez pas encore arrêté de travailler dans la police ?

– Il se trouve que je travaille dans la police, je suis ici en tant que policier.

– Il n'y a pas de place ici pour des policiers.

– Mais à quoi rime cette conversation stupide ? Je suis ici pour découvrir qui a tué…

– C'est bien tout ce que vous voulez : découvrir des coupables. Mais ce qu'il y a ici ce sont des gens. Qui sont vieux, qui sont en fin de vie. Mais qui sont des personnes, qui sont le sol de ce monde que vous foulez vous autres en ville.

– En fait de sol, un bien pauvre sol ! Ces vieillards savent des choses qu'ils s'obstinent à me cacher. Vous savez ce que je vais faire ? Je vais tous les arrêter. Ils sont tous coupables, tous complices.

– Parfait, inspecteur. C'est bien comme cela en effet qu'on exerce l'autorité. Félicitations, monsieur le policier, sûr qu'à peine rentré à Maputo vous allez recevoir une promotion.

Marta Gimo enroula plus confortablement le boubou autour de son corps. Elle s'assit sur un petit muret. Le policier se cala, les mains dans ses poches, le regard perdu au loin sur la mer. A ce moment-là seulement il remarqua combien, à qui du ciel ou de l'océan serait le plus bleu, la journée était superbe. Cette sérénité à perte de vue parut le calmer. Il soupira profondément, s'assit à côté de l'infirmière. Sa voix à présent était à genoux :

– Je vous en prie, aidez-moi. Je n'ai déjà plus de temps, je ne sais que faire.

Marta enfouit le visage dans ses bras. Elle fit front ainsi, sans répondre. Son silence l'emporta sur la patience de l'inspecteur. L'homme insista :

– Que voulez-vous que je fasse ? Dites-moi, vous qui êtes de ce monde…

– Vous ne cherchez qu'à les condamner !

– Je veux savoir la vérité…

– Vous cherchez à les condamner, vous savez pourquoi ? Parce que vous avez peur d'eux !

– Peur, moi ?

– Oui, peur. Ces vieillards sont le passé que vous refoulez au fond de votre tête. Ces vieillards vous font vous souvenir d'où vous venez…

De nouveau, un accès de colère l'égara. L'infirmière voulait discuter ? Eh bien, il n'était pas un de ces policiers quelconques. Elle voulait une réponse ? Eh bien, elle allait l'avoir la réponse attendue. L'agent se préparait à décocher un argument massue lorsqu'il s'aperçut que Marta pleurait. Cette fragilité inattendue l'amadoua. Il posa une main sur l'épaule de Marta. Mais une bourrade vigoureuse écarta le geste de consolation.

– Laissez-moi, espèce… de flic !

Marta s'en alla. Le policier dut attendre un moment pour se reprendre. Cela fait, il décida de s'en tenir au programme qu'il s'était fixé. Il se dirigea vers l'entrepôt où étaient déposés les produits d'alimentation. Il s'arrêta interdit devant la centaine de serrures, de verrous, de cadenas. Alors qu'il se préparait à enlever la clenche de la porte, il fut interrompu par la voix de Nhonhoso :

– Mieux vaut que vous n'entriez pas là.

– Et pourquoi ?

Le vieillard hésita avant de répondre. Puis il dit quelque chose bien selon sa manière, entre blanc et noir, il prononça des paroles étranges :

– Ce magasin a perdu son sol.

– Il n'y a plus de sol ?

D'un signe de tête, Nhonhoso confirma. Il n'y avait plus là, à l'intérieur, que du vide, du vide à l'intérieur d'un trou. Le sol avait été englouti par la terre.

– Vous entrez et vous êtes englouti vous aussi.

Izidine ne tint pas compte des conseils du vieillard. Il fit sauter d'une balle de son pistolet le verrou de la porte principale. Il inspecta depuis le seuil, avec précaution, avant d'entrer. Tout était sombre et se dégageaient de cette obscurité une humidité et une odeur étranges. Brusquement, un battement d'ailes fouetta le silence et résonna longuement en écho. Mais les ailes se refermèrent et Izidine fut souffleté sévèrement au visage. Il s'affaissa ayant presque perdu les sens. La porte battit avec violence. Izidine ne s'aperçut de rien. Mais moi, le fantôme à l'intérieur de lui, je sentis les mains de Nhonhoso qui l'aidaient à se relever. Et le policier fut traîné devant la sorcière.

# 9

# *La confession de Man Nenni*

Je suis Man Nenni, la sorcière. Mes souvenirs sont pénibles à rappeler. Ne me demandez pas de déterrer le passé. Le serpent avale sa propre salive ? Je dois parler, vous m'en faites obligation ? Vous avez raison. Mais sachez une chose, monsieur. Personne n'obéit, si ce n'est en faisant semblant. N'adressez pas d'ordre à mon âme. Sinon qui va parler ce sera mon corps uniquement.

Pour commencer, je vous dis : nous ne devrions pas parler ainsi de nuit. Quand on raconte des choses dans le noir, c'est alors que naissent des hiboux. Quand je vais avoir terminé mon histoire, tous les hiboux du monde seront perchés sur cet arbre auquel vous êtes adossé. Vous n'avez pas peur ? Je sais, vous-même, avec votre peau noire, vous êtes de la ville là-bas. Vous ne savez ni ne respectez rien.

Alors nous allons creuser dans ce cimetière. Je dis bien : cimetière. Tous ceux que j'ai aimés sont morts. Ma mémoire est un champ où je vais m'ensevelissant moi-même à mesure. Mes souvenirs sont des êtres défunts, inhumés non pas en terre mais dans l'eau. Je trifouille dans cette eau et tout prend la couleur du rouge.

Je vous inspire de la peur ? C'est bien pour cette raison, la peur, qu'on m'a expulsée de chez moi. J'ai été accusée de sorcellerie. Selon la tradition, toujours, dans nos villages, une vieille femme court le risque d'être regardée comme une sorcière. J'ai été moi aussi, injustement, traitée de la sorte. On m'a accusée des morts qui se succédaient dans notre famille. J'ai été bannie. J'ai souffert. Nous, femmes, vivons toujours sur le fil de la lame : empêchées de vivre lorsque nous sommes jeunes, accusées de n'être pas encore mortes une fois que nous sommes vieilles.

Mais aujourd'hui, je tire profit de cette accusation. Cela m'arrange qu'on pense que je suis sorcière. Comme ça on me craint, on ne me bat pas, on ne me bouscule pas. Vous voyez ? Mes pouvoirs naissent de ce mensonge. Autant de choses qui ont leurs raisons : ma vie a été un parcours à rebours, une mer se déversant dans le fleuve. Oui, j'ai été la femme de mon père. Comprenez-moi bien. Ce n'est pas moi qui ai couché avec lui. C'est lui qui a couché avec moi.

Je dois m'étendre sur ce souvenir. Pardonnez-moi, inspecteur, mais je dois évoquer mon père. Pourquoi ? Parce que c'est moi qui ai tué le mulâtre Excelêncio. Ça vous étonne ? Eh bien, je vous le dis, dès maintenant : ce démon, l'esprit de mon père l'occupait. J'ai été obligée de le tuer parce qu'il n'était qu'un simple bras exécutant les volontés de mon père défunt. C'est la raison : pour parler de ce Vasto Excelêncio, les dieux aient son âme, je dois d'abord parler de mon père. Je peux en revenir à lui, revenir sur les temps d'autrefois ?

Je vous en demande permission parce que vous m'avez abordée sur ce ton de commandement, avant même que j'aie ouvert la bouche. Je ne veux pas vous faire perdre votre temps mais vous n'allez rien comprendre si je ne descends pas profond dans mes souvenirs. C'est que les choses commencent avant même d'être nées.

Mon père souffrait un sort démoniaque. Chaque fois qu'il se préparait à faire l'amour, il devenait aveugle. A peine il approchait un corps de femme, aussitôt il perdait la vue. A bout de patience, mon père consulta le sorcier. Ce n'étaient pas seulement ces cécités momentanées qui le préoccupaient. Il se sentait de plus en plus à l'étroit, au milieu de tant de monde. C'est ainsi qu'il décida de déposer sa vie sur la natte du devin. Ce que l'autre lui dit, ce furent des promesses de richesse. Le devin lui donna ces garanties : mon vieux voulait vivre tranquille dans l'abondance ? Alors, il devait prendre sa fille la plus âgée, moi en l'occurrence, et commencer à lui conter fleurette. Ni plus ni moins : transiter de père à époux, de parent à amant.

– L'amour ? demanda mon père.

– Oui, faire l'amour avec elle, répondit le sorcier.

– Mais si elle ne veut pas de moi ?

– Elle voudra, après avoir avalé les potions que je vais te donner.

– Elles ne sont pas dangereuses ?

– Ces remèdes éloignent la bouche du cœur. Ta fille t'acceptera.

– Et si elle dit non ?

– Si elle dit non… mieux vaut ne pas y penser, parce que, dans ce cas, tu devras mourir.

Mon vieux avala sec. Mourir ? Troublhébété, il hésita encore. Mais y avait-il autre chose à faire ? Il en resta là, docile. Il rentra chez lui et c'est moi-même, sa fille promise, qui lui ouvris la porte. A ce moment-là, à contre-jour de la lampe, vous savez ce qu'il vit ? Il me vit tout entière. Il semblait que je sois nue.

– Petite Nenni : tu es sans tes vêtements ?

Je ne pus que rire. Sans mes vêtements ? Et je soulevai mon boubou afin qu'il constate que j'étais habillée. Mais, dans le trouble où j'étais, le boubou se détacha et mes seins apparurent, ma peau qui, à cette époque, était à affoler des doigts. Il s'ensuivit que, dans la seconde, il cessa de me distinguer. Mon père perdait la vue. C'était à dire : je lui étais soudain, moi, sa fille pubère, désirable autant que n'importe quelle femme. Il étudia le chemin avec ses mains, comme un aveugle. Il voulait s'appuyer à la porte mais, au lieu du chambranle, il me toucha l'épaule. Et il éprouva un saisissement.

– Père, tu te sens bien ?

– Aide-moi à entrer, c'est seulement qu'il fait trop noir.

Le lendemain, il me donna les potions que le guérisseur avait préparées. Je ne demandai pas ce que c'était. Mes yeux étaient pleins d'appréhension, simplement je baissai la tête, le menton sur ma poitrine. Je n'avalai pas la boisson sur-le-champ. Je marquai un temps comme si je devinais ce qui allait suivre.

– Je peux attendre demain pour boire ?

– Tu peux, ma fille. Bois quand le désir te viendra.

Alors commencèrent les ébats. Mon père fut, tout compte fait, mon premier homme. Mais, je dois avouer une chose : je n'ai jamais bu les potions. La calebasse du sorcier a attendu mes lèvres pendant des années. Mon père demeura persuadé que j'étais sous la protection des esprits et que j'agissais sous l'empire des remèdes. Mon unique remède, toutefois, n'a jamais été que moi.

Et ainsi ma vie suivit son cours, d'épouse et de fille, jusqu'au jour où mon vieux mourut. Il se pendit comme une chauve-souris, feu jouisseur ballottant en pâmoison à une branche. Arriva l'heure du couchant. Du sombre hanté d'ombres : la nuit. Les heures passèrent, mon père balançant dans le noir, le noir balançant à l'intérieur de moi. On ne me laissa pas le voir. En ce temps-là, les enfants avaient interdiction de voir les morts. Vous le savez, la mort est telle une nudité : dès lors qu'on l'a vue on veut la toucher. Il n'est resté de mon père aucune image, aucun vestige de sa présence. Les recommandations, jadis, étaient formelles, tous les effets, les biens, y compris les photographies, étaient enterrés avec le défunt.

De sorte que je me suis retrouvée orpheline et veuve. Maintenant je suis vieille, maigre et noire comme la nuit où le hibou est devenu aveugle. Le noir ne vient pas de la race mais de la tristesse. Mais qu'importe tout cela, chacun a ses tristesses qui sont plus vastes que l'humanité. Toutefois, j'ai un secret, unique et bien à moi. Les vieillards ici sont au courant, personne en dehors d'eux. En ce moment je vous le raconte, mais ce n'est surtout pas pour que vous l'écriviez. Ecoutez bien : toutes les nuits je me transforme en eau, me métamorphose en liquide. Mon lit, pour cette raison, est une baignoire. Même que les autres vieillards sont venus me voir : je me couche et je commence à transpirer en abondance, ma chair se convertit en sueurs. Et je me liquéfie, liquidéfaite. C'est une chose qui est si douloureuse à voir que les autres se sont retirés, épouvantés. Il n'y a jamais eu personne capable d'assister jusqu'au final, lorsque je m'évanouis, transparente, dans la baignoire.

Vous ne me croyez pas ? Alors venez et vous verrez. Dès ce soir, après cette conversation. Vous avez peur ? Ne craignez rien. Parce que dès que le jour se lève, de nouveau ma substance se reconstitue. Tout d'abord, les yeux se recomposent, comme des poissons plongés dans un aquarium improvisé. La bouche ensuite se reconstitue, et le visage, puis tout le reste. En dernier ce sont les mains, qui rechignent à traverser cette frontière. Elles s'attardent chaque fois davantage. Un jour, ces mains vont me rester en eau. Que ce serait bon de ne plus revenir !

Pour tout vous dire, la vérité est que je ne me sens heureuse que lorsque je me fais eau. Dans cet état, pendant que je dors, je suis dispensée de rêver : l'eau n'a pas de passé. Pour le fleuve, onde qui va sans jamais cesser d'aller, tout est toujours aujourd'hui. Il y a cette devinette que l'on récite ainsi : « Sur qui peux-tu cogner sans jamais faire mal ? » Vous connaissez la réponse ?

Je vous la donne : on peut cogner dans l'eau sans causer aucune blessure. Sur moi, la vie peut cogner à loisir lorsque je suis eau. Que je voudrais résider pour toujours dans du liquide, matière qui flue, s'épand, le fleuve dans l'estuaire, la mer dans l'infini ! Sans rides, sans chagrin, toute guérie du temps. Comme j'aimerais dormir et ne jamais revenir ! Mais laissons là mes rêveries. Ce n'est pas pour ça que vous m'avez mandé de parler. Vous voulez en apprendre uniquement à propos de ces circonstances, c'est cela ? Eh bien, j'y reviens.

Ce soir-là, je me dirigeai vers ma baignoire lorsque je suis tombée sur Nhonhoso et Xidimingo qui dormaient sur la véranda. Ils étaient emmitouflés l'un dans l'autre, ils se tenaient chaud. Mais ce serein n'était pas bon pour le grand âge. Je les réveillai avec beaucoup de douceur. Nhonhoso fut le premier à émerger. En découvrant le vieux Mourão niché dans son giron, il se mit à hurler. D'une bourrade, il bouscula Xidimingo par terre. Le Blanc s'ébroua en sursaut :

– Qu'est-ce qui te prend, Nhonhoso, tu es fou ?

– J'ai cru que tu avais déjà passé.

– Et alors, c'est comme ça que tu m'envoies baller ?

Je comprenais la peur de Nhonhoso. Ce vieillard ménageait son cœur. Laisser un quidam s'éteindre dans nos bras, refroidir dans notre giron, nous ne le pouvons pas. Les morts s'agrippent à l'âme et nous entraînent avec eux dans les profondeurs. Ici, dans cet asile, les gens meurent tellement que, parfois, je m'interroge : les morts, à quoi servent-ils ? Oui, tous ces gens ici en train d'engraisser la terre ! Vous savez la raison, monsieur l'inspecteur, de cet amoncellement de défunts ? J'ai fini, pour ma part, par me faire ma petite idée : les morts ont pour fonction de pourrir la peau du monde, de ce monde qui est comme un fruit avec la pulpe et un noyau. Il faut que l'écorce tombe pour que la partie qui est à l'intérieur puisse sortir. Nous sommes là, les vivants et les morts, occupés à déterrer ce noyau où résident des merveilles stupéfiantes. Excusez, inspecteur, j'ai dévié et je déblatère. Je reviens à notre affaire, le soir où j'ai trouvé les deux vieux. Je me souviens que je leur ai demandé :

– Alors vous deux, vous allez rester là ? Dormir ou serein ?

– Ecoute, Man Nenni, laisse-nous où nous sommes, aujourd'hui ça ne nous dit rien de retourner au milieu de ces vieux débris...

– C'est que je suis vraiment obligée de dormir dans ma baignoire. Sinon, je serais bien restée là avec vous...

Ils éclatèrent de rire tous les deux, soulagés de voir que j'allais m'en aller. Ils étaient persuadés eux aussi, comme tous les autres, que j'étais une sorcière. Ils croyaient que c'était moi qui avais fomenté la mort de mon mari, de mes enfants. Tout le monde croit que j'ai tué mon père pour rester avec ce mari, que j'ai tué le mari pour rester avec mes enfants, qu'enfin j'ai tué ces enfants pour rester avec mes petits-enfants. Qu'ils le croient s'ils y tiennent !

Je m'attardai, ce soir-là, dans la compagnie des dcux vieux. Et je vis aussi arriver Marta qui s'allongea, nue, à même le sol. Mourão et Nhonhoso étaient en train d'échanger leurs gamineries de compères complices. C'est à ce moment-là qu'est apparu le mulâtre. Le directeur. Il nous appela, nous ordonna de le suivre dans son bureau. C'était là qu'il procédait à ses vilenies. Il nous fit asseoir, tous les trois, sur un grand banc et, aussitôt, prit Nhonhoso à partie :

– Qu'est-ce que je t'ai demandé de faire ?

Le vieux Noir, la tête basse, est resté muet. Il avait l'air coupable et couvert de honte. Vasto Excelêncio lui prit le visage des deux mains pour le foudroyer du regard :

– Je ne t'ai pas dit d'abattre cet arbre ?

– Alors, c'était donc ça ? s'est exclamé le Portugais. Tu allais me couper cet arbre sur l'ordre de ce fils de pute ? !

– Ferme-la, toi aussi !

Le directeur fut expéditif : Nhonhoso fut aussitôt déclaré coupable d'insubordination. Nous savions tous la sorte de punition qui allait suivre. On allait faire venir Salufo Tuco pour qu'il se charge d'appliquer les châtiments corporels. J'essayai encore d'apaiser la colère du directeur :

– Excelêncio, tu ne vas pas faire fouetter ces malheureux...

Du coup, il s'est soulagé sur moi. Il s'est mis en hurlant à me frapper à la poitrine. Une fois, d'autres encore, des quantités de fois. Il choisissait les seins : il frappa jusqu'à ce que je sente comme si une déchirure me fendait par le milieu. Mourão et Nhonhoso ont encore tenté d'intercéder mais les pauvres vieux, bien que deux, ne parvenaient même pas à faire une seule et unique force. Je restai par terre, comme s'il ne s'était rien passé, si ce n'est un homme s'acharnant vilainement sur une vieille femme. Excelêncio se retourna vers Nhonhoso et hurla :

– Je t'ai ordonné de couper l'arbre du Portugais et tu as désobéi. Tu sais déjà ce qui maintenant...

– Je sais. Mais j'ai une chose à demander : ne faites venir personne pour me battre.

Puis, se tournant vers le vieux Portugais, Nhonhoso implora :

– Je t'en prie, bats-moi, toi.

– Te battre ! ? Tu déménages ?

– Je ne veux pas que ce soit un Noir qui me batte.

– Ne me demande pas ça, Nhonhoso. Je ne peux pas, je ne suis pas capable.

A ce moment-là, le directeur s'interposa. S'adressant au Blanc, il demanda avec le plus grand sarcasme :

– Ne viens pas me dire que tu n'as jamais fouetté un Noir. Hein, patron ?

Il insistait très fort sur le mot « patron ». Nhonhoso, à notre étonnement, fit chorus avec Excelêncio :

– Oui, patron, exauce ma demande.

– Je ne comprends pas, Nhonhoso : me voilà « patron » maintenant ?

Qui répondit ce fut le directeur de l'asile. Il avait l'air de prendre grand plaisir à cette conversation. Il se cala sur sa chaise avec un air de commandement. Puis, plastronnant, il pointa un doigt de juge :

– Oui, vous autres Blancs vous n'avez jamais cessé d'être des patrons. Nous autres, Noirs…

– Quoi, vous autres Noirs ? Tais-toi, opportuniste de merde.

C'était le vieux Portugais, hors de lui. Vasto Excelêncio eut un sourire en coin :

– Me taire ? Si c'est ce que demande le patron.

– Je ne suis le patron de personne !

– Tu l'es, tu es mon patron ! insista Nhonhoso.

– Je ne suis pas patron, têtes de lard ! Arrêtez avec ces conneries, je suis Domingos Mourão, merde !

Le Portugais tournait, fulminant, dans la pièce en répétant : « Je suis Domingos. Je suis Xidimingo, têtes de lard ! » Brusquement, le vieux Nhonhoso, se plantant sur le chemin du Blanc, l'interrompit. Il baissa la tête et, en sourdine, supplia :

– Je t'en prie, Mourão, bats-moi.

– Je ne peux pas.

– Ça ne me fera pas mal, je te jure.

– C'est à moi que ça va faire mal, Nhonhoso.

– Je t'en prie, Xidimingo. Fais-le, mon frère.

Le Blanc ferma les yeux. Il avait l'air au bord des larmes. Lentement, il saisit la matraque. La paupière toujours close, il leva le bras. Mais il n'eut pas le temps d'exécuter la sentence. Parce que, tout à coup, il arriva ceci : là, dehors, un orage éclata, d'une violence à faire choir le ciel sur la terre. Eclairs et roulements de tonnerre se confondaient. Je n'avais encore jamais assisté à une pareille colère des firmaments. Je sortis de mon sac du feuillage de *kwangula tilo*. Je donnai une branche de cet asparagus à chacun des deux vieux pour qu'ils la gardent bien en main. C'était pour les prémunir contre le risque d'avoir les poumons crevés. J'en donnai une branche à chacun, sauf au directeur. Après quoi, j'ordonnai :

– Taisez-vous : que passe en ce moment dans le ciel le serpent *wamulambo*.

– Le *wamulambo ?!* demanda le directeur, d'une voix tremblante.

– Tais-toi, démon !

Le directeur sortit, pressé de soulager ses intestins. Xidimingo Mourão n'en revenait pas. Il ignorait nombre de nos croyances. Il ne connaissait pas le *wamulambo*, ce serpent gigantesque qui erre dans le ciel pendant les orages. Nous attendîmes, le cœur dans un étau, le temps que le cyclone se fatigue. Puis nous sortîmes de la maison pour interroger le ciel. Déjà le tonnerre ne roulait plus au-dessus de nous. Mais les dommages s'accumulaient à travers l'asile. Les tuiles de zinc avaient été arrachées comme des copeaux de bois. Nhonhoso dit :

– Ça fait un bout de temps que je dis qu'il faut que nous repeignions ces tuiles…

Le vieux avait raison. Ces serpents des tornades confondent le miroitement ondoyant des tuiles avec les ondulations de l'eau. De sorte que, plongeant dans le vide de l'espace, ils s'abattent abruptement sur le zinc des toits.

– Toi, Man Nenni, qui es un peu sorcière, ce serait bien que tu offres un *wamulambo* au vieux Xidimingo.

– Je te dis une chose, Blanc : ne souhaite jamais posséder un de ces serpents. Ils aident les patrons mais, en contrepartie, ils exigent toujours du sang…

Le Portugais ne rit même pas jaune. C'est incroyable comme les vieilles gens dépendent des sautes du temps, combien les météorologies les fragilisent. Nous nous sentions chacun désormais, avec l'âge, frêles comme un talon. Mourão était celui des trois qui souffrait le plus du poids des nuages. Il regardait le firmament et disait :

– C'est un ciel à faire disparaître la Vierge.

Mes seins me faisaient mal, comprimés de façon insupportable. J'avais l'impression qu'ils saignaient. Je me séparai rapidement de mes compagnons. Je regagnai ma petite maison pour me coucher. J'avais un besoin urgent de me convertir en eau. J'ouvris la porte et la première chose que je vis ce fut la baignoire réduite en pièces : l'orage s'était vengé sur elle. Le *wamulambo* s'en prenait à moi, pour me punir de mes mensonges ? Je m'assis, effondrée. Le sang inondait ma blouse.

Je restai là, dans cette petite chambre, regardant immobile goutter mes seins. Je n'allais plus jamais pouvoir, qu'ils soient en chair ou en vrai, allaiter mes petits-enfants. D'où le sang a coulé ne peut plus sortir de lait. Je vouai le mulâtre aux gémonies au nom de toutes les morts à venir. Maintenant, je dis : le destin de Vasto Excelêncio a été scellé à ce moment-là. C'est moi qui en ai décidé, l'homme a été expédié ad patres sur mon commandement. Le sang qui me coulait des seins, il fallait qu'il le perde de son corps.

La vie est une maison avec deux portes. Il y en a qui entrent et qui ont peur d'ouvrir la seconde porte. Ils tournent sur place, flirtent avec le temps, s'attardent dans la maison. D'autres, c'est leur main qui décide, ouvrent sans hésiter la porte de derrière. C'est ce que je fis à ce moment-là. Ma main tourna la clef dans la serrure, ma vie fit le tour de l'abîme.

Surgit sous mes yeux la caisse de santal que j'avais gardée pendant tant d'années. J'en retirai la racine de cet arbuste qui pousse parmi les manguiers. J'écartai les jambes et, lentement, par cette fente où la vie et moi nous étions déjà mesurées, j'enfonçai la racine au centre de mon corps. Je laissai le poison se répandre dans mes entrailles. Puis, perdant déjà mes forces et le pas chancelant, je retournai auprès de mes amis.

– Qu'est-ce qui se passe, Man Nenni ?

– Je viens vous dire adieu.

Le Portugais sourit : pour quel no man's land étais-je en partance ? Nhonhoso rit lui aussi. Mais, ensuite, ils se rendirent compte de ma tristesse.

– Vous savez que l'orage a cassé ma baignoire ?

– Ne me rebats pas les oreilles avec cette histoire d'eau, Man Nenni, répondit Xidimingo.

A mon tour, je souris. Nous avons tous nos méconnaissances. Mais c'est fou ce que les Blancs se prévalent de leurs ignorances ! Pour le Portugais, la seule affaire c'était le pain et la terre. Une personne qui se change en eau ? Impossible. Le corps, une fois mort, se fragmente, réduit, de par la cohérence d'une ossature, en vaine poussière. Je n'avais pas les forces pour des dédits. Je pris une poignée de sable et laissai les grains s'écouler entre mes doigts.

– Cette nuit, sans baignoire, je vais m'épandre dans ces sables.

Elle serait, cette nuit, étant donné ma réalité, ma dernière nuit. J'allais, déflagrée, changée en mille gouttes, être absorbée telle une averse. Tout à coup, l'air désolé, le Portugais me secoua :

– Tu as du sang plein les jambes, Man Nenni. Qu'est-ce qui se passe ?

– C'est le sang de ma poitrine, c'est parce que ce mulâtre m'a battue.

– Non, Man Nenni, ce sang est différent.

– Qu'est-ce que tu t'es fait ? demanda le vieux Noir.

Nhonhoso savait. En tant que Noir reteint*, il connaissait nos coutumes. Tant bien que mal, il expliqua au Portugais. J'étais en train de me faire mourir. Il n'y avait qu'une façon de me sauver. C'était que l'un d'eux fasse l'amour avec moi.

– Mais ce n'est pas risqué ? Le poison ne va pas s'infiltrer en nous ?

---

* D'un noir très noir (*N.d.T.*).

Les deux vieillards échangèrent en silence leurs craintes et leurs angoisses. Ils se turent, les yeux à terre. Au bout d'un moment, le vieux Nhonhoso sourit. Et il dit : que le Blanc se rassure. Il se chargeait de l'affaire. Sur quoi le Portugais se récria :

– Mais c'est dangereux de mourir, Nhonhoso.

– Qui veut attraper la sauterelle faut bien qu'il laisse que la terre le salisse.

– Tu sais, Nhonhoso, celui qui va y aller, c'est moi !

– N'y pense pas, le Portugais. J'y vais, moi.

Et ils rediscutèrent. Ils me voulaient tous les deux ? Ils firent assaut de bonnes raisons et tout : l'un, qu'il avait plus de preuves que d'arguments, et l'autre, qu'il était de la race qui convenait. Le Noir disait : tu te couches avec la sorcière et tu es plus sûrement condamné que la paille de ta cigarette. Le Portugais demeura un instant sans dire mot. Un bégaiement lui bloquait la voix. Il finit par déverser ce qui ne demandait qu'à sortir :

– Je ne voulais pas faire cette révélation, mais...

Derechef, il se tut. Il semblait avoir perdu tout courage.

– Parle, homme !

– C'est que Man Nenni, dans le temps, a soulevé ses jupes pour moi. Et je l'ai vue sans plus un vêtement...

J'eus de la peine pour Domingos Mourão. Le Portugais n'avait pas compris pour quelle raison je lui avais montré mon corps. Mourão ignorait vraiment beaucoup de nos secrets. Lorsqu'une vieille femme se dénude et défie un homme, c'est de sa part signe de colère. Ce moment que Xidimingo Mourão imaginait avoir été manière de séduction n'avait été, pour tout dire, qu'une manière de mépris. Que le vieux Blanc, le malheureux, ne méritait nullement. Il était trop tard à présent pour des rectifications. Le mieux était de laisser Mourão dans ce malentendu.

La discussion se clôtura, finalement, en faveur du Noir. Nhonhoso me prit la main, à la façon d'un amoureux. Il désigna ma petite maison et demanda :

– On y va ?

Cela faisait déjà très longtemps que j'avais oublié l'art de ces jeux du corps. Les dires de Nhonhoso ne servaient qu'à me déconcerter davantage : *ceci la natte, elle est une natte seulement lorsqu'elle sert pour une personne solitaire. Mais lorsque viennent s'y étendre deux amants, la natte accueille la terre entière. Tu racontes de jolies choses, Nhonhoso. Mais, en plus des mots, tu les pratiques encore ces jolies choses ?* Le vieux Nhonhoso déroulait sa prose : *vois Navaïa Caetano,* disait-il. *Il est vieux, et il reste un enfant ? Je te parle, petite Man Nenni. Tu n'as jamais vu un mulâtre ? Alors ? On peut être un mulâtre de races différentes, on peut être un mulâtre d'âges différents. Tu es une vieille encore gamine, ma toute petite.*

Ce qu'il me dit, de son petit souffle dans mon oreille, réussit à me convaincre de choses folles. Que j'étais encore dans la fleur de l'âge. Je le savais déjà : la vieillesse ne nous donne aucune sagesse, simplement, elle autorise d'autres folies. Ma folie, c'était de croire en ce que disait Nhonhoso. Que j'étais la plus belle, la plus femme. Et nous progressions sûrement, nos corps libres déjà de tout vêtement. Brusquement, il s'arrêta :

– J'ai peur.

– Peur ?

– J'ai toujours eu peur.

– Et si je te fais certaines caresses ? je demandai.

Ainsi je dis, et fis. Je promenai ma main sur ses parties délicates. Il sourit et répondit que ce n'était pas la peine.

– C'est aussi inutile que de vouloir dérouiller un clou.

Nous éclatâmes de rire. La vie est la plus grande brigande qui soit : nous savons que nous existons à coups uniquement d'épouvantes et d'embûches. Alors que Nhonhoso était ainsi, le cœur sur le point d'ensemencer, à ce moment-là surgit Vasto Excelêncio. Il entra sans frapper et, son petit rire au coin de la bouche, nous contempla :

– Voyez-moi ça, le petit couple passionné que voilà.

Il bouscula Nhonhoso du pied et, le poussant dehors, ordonna :

– Sors de là, cocu !

Nhonhoso s'évanouit de l'autre côté de la porte. Alors Excelêncio commença à faire semblant de me courtiser. Il singeait le coq lorsqu'il fait ses avances. Il me rabaissait au niveau d'un animal. Je feignis que cette méprise me convenait, comme si j'acceptais cette descente d'aile du mulâtre. Et je tempérai son geste en endormant ses épaules avec mes mains.

– J'ai une petite eau-de-vie des familles.

C'était ce qu'il voulait. Je remplis le verre. Vasto Excelêncio but et rebut. Jusqu'à ce qu'un vertige le fasse rouler à terre. Le directeur délirait. J'en profitai pour m'allonger sur lui. Et, nue et trempée comme je l'étais, je coïncidai avec son corps, épousai ses concavités. Excêlencio m'entoura de ses bras. Ses baisers transpiraient l'écume chaude de la boisson. L'homme sautillait de noms en lapsus :

– Marta ! Tina… mon Ernestina !

Il acheva en moi ses prestations viriles. Il termina sur un râle d'animal. Je me détachai de son corps, pressée de me laver. C'était comme si ses liquides étaient en train, à l'intérieur, de m'envenimer pire que les poisons prévus à cet effet. Je constatai à nouveau dans la glace le sang qui me colorait la poitrine. Tandis que je me lavais, le mulâtre hurla, réclamant davantage à boire.

Je revins dans la pièce et, de nouveau, remplis son verre à le faire déborder. Une trace de sang resta sur le bord. Le directeur ne remarqua pas tout de suite cette empreinte de doigt rouge sur le verre. Il avala le poison d'un trait et, tambourinant sur son estomac, exigea :

– Remplis encore, la vieille !

Le verre, lui échappant, vola en éclats. Et le corps de Vasto Excelêncio tomba lourdement sur les mille éclats du verre.

# 10

# *Cinquième jour chez les vivants*

Izidine erra toute cette journée avec en tête l'image de la sorcière ne cessant de le tourmenter. Il avait été impressionné par son extrême maigreur. Les autres vieillards disaient qu'elle se nourrissait en tout et pour tout de sel. Elle recueillait de l'eau de mer, la déposait dans des creux de rochers. Puis elle laissait l'eau s'évaporer et léchait ensuite le fond de ces anfractuosités.

La matinée était humide. Il avait plu toute la nuit durant. Les nuages avaient crevé exactement pendant qu'il écoutait la sorcière. Simple coïncidence ? Le policier déambula dans la cour jusqu'à être attiré par le vacarme que faisaient les vieillards. Il s'approcha. Les pensionnaires s'agitaient autour du frangipanier. Caetano Navaïa l'avait escaladé et, accroché au tronc, il recueillait des petites bêtes velues qu'il passait ensuite aux autres vieillards. A cette époque de l'année, dès qu'il pleut, les troncs se couvrent de chenilles, les *matumanas*. Les vieillards se régalaient avec ces chenilles. Même Izidine connaissait cette habitude. L'infirmière le rejoignit pour assister au spectacle. Le policier était content de montrer que lui aussi était au courant de cette coutume.

– Ce ne sont pas les mêmes chenilles, rectifia Marta.

– Si ce ne sont pas les mêmes, elles leur ressemblent.

– C'est ce que vous croyez. Demandez-leur à quoi ils rêvent après avoir mangé ces *matumanas*.

– Dites-le-moi, vous.

– Ils vont vous raconter que les papillons leur sortent par les yeux pendant qu'ils dorment.

Les vieillards disaient aussi autre chose : que les insectes se développaient à l'intérieur de leur corps jusqu'à devenir de gros papillons, constitués de leur propre chair. Et qu'à mesure que les papillons, leur sortant des yeux, s'échappaient, ils se vidaient, de plus en plus maigres, jusqu'à ce qu'il ne leur reste plus que les os. En riant, ils concluaient : Ce n'est pas nous qui les mangeons. Ce sont les chenilles qui nous mangent. Ils déliraient à force d'ingurgiter les sucs laiteux des *matumanas*.

– J'espère qu'il y en aura au moins un qui n'aura pas mangé de *matumanas*. Sinon, vous n'allez trouver personne aujourd'hui pour témoigner.

– Qui sait, cela va peut-être leur délier la langue ? Vous n'avez jamais entendu parler du sérum de vérité ?

Marta sourit et s'excusa. Ses occupations la réclamaient. Le policier la salua et se rapprocha de l'arbre. Il entendait se joindre aux vieillards et participer à la récolte des chenilles. Peut-être gagnerait-il ainsi plus de confiance de leur part ? Mais au moment où il se préparait à recueillir une première *matumana*, une voix lui intima l'ordre d'arrêter.

– Vous ne pouvez pas venir là...

– Pourquoi ?

– Parce que vous ne pouvez pas...

Il obéit, contrarié. Les vieillards ne voulaient pas de lui. Le policier n'arrivait même pas à les approcher. Comment pouvait-il espérer qu'ils veuillent bien s'ouvrir et lui raconter la vérité ? Contraint de se rendre à l'évidence, il se retira dans sa chambre, abattu, banni du monde. Jusqu'à ce que Nhonhoso, vers la fin de l'après-midi, vienne le trouver. Il frappa à la porte et, avant même d'y avoir été autorisé, il entra et s'installa.

– Nous n'avons pas confiance en toi, inspecteur.

– Mais pourquoi ? Seulement parce que je suis de la police ?

Nhonhoso haussa les épaules. Il prononça quelques vagues phrases, dit tout cela à mi-voix. Qu'il se passait des choses à l'intérieur de l'asile, que le pays était devenu un endroit dangereux pour les gens qui cherchent des vérités. Sans compter qu'il existait d'autres raisons qu'eux, les plus anciens, avaient déjà soupesées.

– Vous voulez dire que, pour vous, je ne suis pas un homme bon ?

– Tu n'es ni bon ni mauvais. Simplement, tu inexistes.

– Comment ça, j'inexiste ?

– Tu as été circoncis ?

L'inspecteur ne parvint même pas à répondre. Il était sans voix. Alors c'était cela ? A moins que ce ne fût qu'un simple prétexte, une nouvelle façon de le couvrir de cendres ? Il lui fallait coûte que coûte trouver comment contourner cet obstacle imprévu. Et il se prépara à devoir se soumettre à des cérémonies.

– Vous allez me circoncire ?

Le vieillard éclata de rire. Il était désormais beaucoup trop adulte. Mais, de cérémonie, oui, il y en aurait une. C'était la condition pour être admis dans la famille, la tribu des plus avancés en âge. Et elle pouvait avoir lieu le soir même, s'il le désirait. Izidine accepta. A force de voir le temps lui couler comme du sable entre les doigts, le policier était désespéré. L'accord fut scellé. Nhonhoso sortit prévenir le restant des camarades pour qu'ils préparent le rituel.

Passé une couple d'heures, on frappa à la porte. Entrèrent Nhonhoso, Mourão, Navaïa. Ils ordonnèrent au policier de se déshabiller.

– Finalement, vous aller me couper ? s'alarma le policier.

– Assieds-toi ici au milieu.

Nhonhoso sortit un vêtement de Marta. Ils immobilisèrent le policier par la taille et lui enfilèrent une robe par le cou. Le policier se regardait, n'en pouvant croire ses yeux, affublé en femme.

– Dans cette fête, tu dois faire semblant que tu es une femme.

Les chants et les tambours, les danses commencèrent. Nhonhoso le pressait pour qu'il chante et danse lui aussi, comme l'aurait fait une femme. Izidine interpréta sa partie du mieux qu'il sut. Les trois vieillards riaient à s'étrangler. Puis ils sortirent et le policier les suivit jusque dans la cour. Fatigué, il s'allongea sur la promenade, exposé à la fraîcheur de la fin de l'après-midi. Il ferma les yeux, pour, très vite, les ouvrir à nouveau. Des pas l'avaient réveillé. C'était Marta. Elle se planta à ses pieds, surprise par son accoutrement. Izidine s'assit et, s'essuyant le visage avec les mains, il se recomposa une dignité. Et il raconta ce qui s'était passé. Marta éclata de rire.

– Ils se sont amusés à vos dépens. Et aux dépens de ma robe.

– Ne m'en veuillez pas, Marta.

– Venez avec moi. C'est une belle nuit, l'idéal pour deux femmes qui se promènent.

Ils marchèrent jusqu'au frangipanier. Marta fit remarquer des lumières qu'on voyait s'allumer sur la plage, au bord de l'eau.

– Ce sont des torches. Les vieillards les allument pour attraper des langoustes.

Ces lumières semblaient flotter sur la mer et elles brillaient, teintant de rouge l'écume des vagues. Marta semblait en veine de poésie. La lumière, disait-elle, est plus légère que l'eau, ses reflets flottent à la surface, pareils à des poissons lunaires, à des algues de feu.

– Les souvenirs de ces vieillards ressemblent aussi à cela, ils flottent plus légers que le temps.

Un volume étrange qui faisait tache sur la robe éveilla l'attention de l'inspecteur. Il retira l'objet en forme de coussinet : c'était une autre écaille. Il la montra à l'infirmière.

– Vous savez ce que c'est ?

– Cela, cher inspecteur…

– Appelez-moi Izidine.

– Cela, Izidine, c'est une écaille de pangolin, le *hala-kavuma*…

– Ah oui, je connais. Celui qui descend des nuages pour annoncer des nouvelles du futur ?

– Finalement, vous n'avez pas tout oublié de la tradition. Voyons si vous vous souvenez d'autres choses...

Et elle lui passa la main sur le visage, prolongeant ses caresses plus bas, sur la poitrine. Elle allait déboutonner sa robe ? Le geste l'incita à se rapprocher d'elle. Elle avait l'air de vouloir lui livrer un secret. Elle posa les lèvres sur son oreille mais, au lieu de paroles, elle imita le bruit de la mer dans un coquillage. Ensuite, du bras, elle le fit s'étendre par terre.

– Les vieux là-bas ne nous voient pas ?

Marta sourit et, s'allongeant, roula pour qu'il vienne se placer sur elle. Izidine voulut la protéger en glissant les mains sous son corps. Mais elle écarta cette marque d'intention :

– Faites un meilleur usage de vos mains, je suis bien assez rembourrée.

Le policier avait déjà fait l'expérience de pareils empressements ? Et moi, Ermelindo Mucanga, profitant du corps de l'amant, je me vis qui, soudain, me vidais de ces visions. Le vrai est que, pénétrant Marta Gimo, j'accédais à l'état de passion. Or un « passe-muraille » a interdiction de se mêler aux affaires des vivants. C'est pourquoi je me laissai tomber dans le vide, absenté de moi et du monde. Tout s'obscurcit jusqu'à ce qu'à nouveau je distingue Izidine qui, se relevant, s'écartait de l'infirmière. Le policier étira les bras, rajusta la robe. Il regarda au loin, du côté de la plage : il n'y avait déjà plus une seule torche au bord de l'eau.

– Les vieillards ne sont plus là-bas, sur la plage.

– Non. Maintenant ils sont là.

Et Marta, montrant le ciel, désigna les étoiles. Le regard du policier se perdit parmi les galaxies, imaginant que les petites lumières là-haut étaient des torches dans les mains des vieillards. Et il se lova, paresseux dans ce silence, jusqu'à ce qu'elle demande :

– Vous savez ce que j'ai le plus détesté chez ce mulâtre ?

– Chez qui ?

– Je parle de Vasto Excelêncio.

– C'était quoi ?

– Lorsque Salufo Tuco est mort, nous avons demandé à pouvoir emmener le corps afin qu'il soit enterré à Maputo. Une fois de plus ce mulâtre a refusé.

Marta voyait l'hélicoptère aller et venir, partir et revenir et repartir. Il déchargeait des caisses et les ramenait vides. Elle avait souvent insisté pour que l'équipage emporte les malades. Excelêncio avait toujours refusé.

– Finalement, ils avaient peur.

– Peur ? Peur de quoi ?

– Ils avaient peur que nous les dénoncions une fois arrivés...

L'inspecteur, tout à coup, se sentit très intéressé. A tort peut-être, ou plus que nécessaire. Il inclina la lanterne sur le visage de l'infirmière. Il voulait savoir qui étaient ces « ils ». Et quelle était la teneur de ces dénonciations. Marta écarta la lumière de son visage.

– Vous ne comprendrez jamais. Ce qui se trame ici est un coup d'Etat.

– Un coup d'Etat ?

– Oui, et c'est cela dont vous devriez vous préoccuper, monsieur le policier.

– Mais, ici, dans la citadelle ? Un coup d'Etat ? Izidine riait, stupéfait. Franchement, Marta…

– Ce n'est pas seulement ici dans la citadelle. C'est à travers tout le pays. Oui, un coup d'Etat contre les temps d'antan.

Une fois de plus, Marta Gimo le prenait à revers. Cette fois le policier se garda de lui chercher noise. Il devait la laisser parler. Et, de fait, elle parla :

– Il importe de conserver ce passé. Sinon le pays reste sans sol sous les pieds.

– Je suis d'accord, Marta. Tout ce que je veux savoir c'est qui a tué Vasto Excelêncio. Rien d'autre.

La conversation en resta là. L'inspecteur se disposait à regagner sa chambre lorsque le fou rire de Marta l'arrêta. Il était si amusant à regarder, grave et pénétré de son importance, revêtu d'un vêtement de femme. Levant le bras, il se retourna. Eut un geste d'excuse. Marta s'approcha pour lui dire au revoir. Elle déplia une feuille de papier et la lui donna.

– Lisez ça.

– Qu'est-ce que c'est ?

– Une lettre. Lisez-la.

– Une lettre de qui ?

– D'Ernestina.

# *11*

# *La lettre d'Ernestina*

Je suis Ernestina, femme de Vasto Excelêncio. Je rectifie : veuve de Vasto. Je rédige ces lignes à la veille de mon transport en ville, pendant qu'ils vont et viennent, occupés à fouiller dans tous les coins et recoins de la citadelle. Ils ne trouveront jamais le corps de mon mari. Lorsqu'ils vont avoir terminé leurs recherches ils m'emmèneront avec eux. Je vais m'en aller disqualifiée, tenue pour une âme incapable. On ne me demandera ni de témoigner. Ni ce que je ressens. Je préfère cette mise à l'écart. Que personne ne fasse attention à moi et qu'on me prenne pour une simple d'esprit. J'écris cette lettre, je ne sais même pas pourquoi, ni à l'adresse de qui. Mais je veux écrire, je veux briser ces hauts murs qui m'encerclent. J'ai vécu pendant des années entourée de gens âgés, des gens qui n'attendent rien d'autre que leur fin proche et certaine. La mort n'est-elle pas la fin sans finalité ?

Vasto est mort de façon mystérieuse. Il n'y a même pas eu d'enterrement. C'est mieux ainsi : cela m'a évité l'hypocrisie des funérailles. Ce n'est pas la première fois que je croise la mort en chemin. Mon fils unique est mort à la naissance. Je n'ai jamais pu avoir d'enfants. Lorsque ce malheur est arrivé, je vivais séparée de Vasto. Je pensais que cette séparation serait définitive. Vasco avait été détaché pour diriger l'asile de São Nicolau. Je refusai de l'accompagner. Notre relation s'était dégradée, je m'étais épuisée de désillusions en désillusions. Mais la mort de l'enfant m'a laissée fragile, désemparée. C'est ce qui m'a décidée à me réconcilier avec Vasto et à retourner vivre avec lui. On dit que les femmes qui voient mourir leurs enfants deviennent aveugles. Aujourd'hui, je comprends, ce n'est pas qu'elles cessent de voir les choses. Mais elles cessent, oui, de voir passer le temps. Et, leur devenant invisible, le passé cesse de les faire souffrir.

Ce qui m'a été le plus pénible pendant la guerre a été tout ce à quoi je n'ai pas assisté. Les horreurs qui se sont accumulées ! Les gens me disaient que Vasto, sur les champs de bataille, se comportait sans moralité, agissant exactement comme faisaient les ennemis qu'il traitait de démons. J'écoutais les rumeurs, les récits des massacres, comme s'ils se passaient dans un autre monde. Comme si tout cela était de ces choses qu'on rêve. Et les rêves sont comme les nuages : rien là, si ce n'est leur ombre, ne nous appartient. Je n'ai eu, qui m'appartienne, que ces ombres vaguant à la surface de la terre. J'écoutais ce qui se colportait à propos de mon mari. Et je pleurais. Je pleurais chaque fois que je mangeais. Les gouttes et les grains se mélangeaient sur mes lèvres, je ne savais pas que la tristesse formait des nœuds dans ma gorge. Ma vie a un goût de sel. C'est pourquoi j'ai hâte de m'en aller loin de ces plages. Afin d'oublier, pour toujours, cette odeur de marée.

Lorsque je suis arrivée à l'asile, j'ai eu la confirmation des agissements sans moralité de mon mari. Vasto faisait du trafic avec les produits destinés à approvisionner l'asile. Les vieillards n'avaient pas accès aux aliments de première nécessité et ils dépérissaient faute de remèdes. J'avais parfois l'impression qu'ils mouraient embrochés sur leurs propres os. Mais Vasto était insensible à cette souffrance.

– Comment se peut-il que tu ne fasses rien, toi qui n'arrêtes pas de parler au nom du peuple…

– Les vieillards sont habitués à ne pas manger, il me répondait. Manger, à l'âge qu'ils ont, pourrait même leur être nocif.

Comment se pouvait-il que Vasto soit devenu aussi minable ? Au début, j'acceptai encore cet homme. Son corps était ma nation. Je lui donnai des noms que je gardais pour moi seule, des noms que j'inventais, tellement je l'aimais. Mais ces noms je ne les ai jamais révélés. Je les gardais en moi, des secrets que je me dissimulais jusqu'à moi-même. Je ne lui accordais pas le crédit de savoir apprécier les raffinements que fabriquait ma tendresse. Une première volonté me vint de me détacher de Vasto. Au début, c'était du mensonge. J'étais comme le fleuve lorsqu'il croit, en pleine illusion, s'être écarté de sa source.

Avec le temps, cependant, la nature véritable de Vasto allait se confirmant. Comme dit le vieux Navaïa : nous ne découvrons rien. Ce sont les choses qui se découvrent à nous. Le temps, progressivement, me révéla le vrai visage de cet homme. Dieu me pardonne, je cessai de l'aimer. Plus que cela : j'en vins à le haïr. A l'époque, je cherchais encore des explications à ma colère. Désormais, je n'ai plus aucun besoin de justification pour honnir.

Je trouvai un moyen de l'excuser : Vasto avait servi pendant la guerre. Il avait participé à des missions dont je préférais ne rien savoir. Il avait beaucoup vu mourir. Qui sait si ce n'était pas là, face à ces visions, que s'étaient éteintes ses dernières lueurs de bonté ? Il se passait cette chose étrange : tandis que la plupart des gens se déplaçaient, chassés par le conflit armé, avec Vasto, c'était le contraire, c'était la guerre qui s'était déplacée, réfugiée à l'intérieur de lui, dans son cœur. Et maintenant comment extraire la méchanceté de ses tripes ?

C'était pendant la guerre que Vasto avait rencontré Salufo Tuco, celui qui allait par la suite devenir notre domestique. Salufo avait déjà servi dans l'infanterie au temps de la colonie. C'était un homme étrange, fait de braves humanités. Personne ne lui donnait l'âge qu'il avait réellement. Il nc paraissait pas plus de cinquante ans. Il devait bien, cependant, avoir dépassé les soixante-dix. Mais il avait conservé beaucoup de l'adolescence.

Il s'habillait de bouts de tissu, mal cousus, rafistolés. Il se présentait dans cet attirail pour raviver des souvenirs de sa première jeunesse. Il évoquait la sorte de paiement qu'il avait reçu dans les débuts, lorsqu'il servait d'homme à tout faire chez un tailleur. Le patron était un Indien qui lui payait son salaire non pas en argent mais en chutes de tissu. Il s'habillait de pièces ravaudées. Salufo se transférait du côté des paradis perdus de l'enfance ? Je ne sais pas. Une fois, je lui ai demandé, il a répondu que non. Il a rétorqué ceci : le serpent peut se réinstaller dans la peau dont il s'est débarrassé ?

Je n'ai jamais su ce qui s'était passé sur le champ de bataille, mais Salufo manifestait d'étranges obligations de fidélité à l'égard de Vasto. Il se transforma en bras droit de mon mari. Salufo était celui qui déchargeait les marchandises qu'apportaient les hélicoptères. Les vieillards se proposaient chaque fois pour aider, mus par la curiosité de savoir ce qui arrivait dans les cartons. Mais, toujours, Vasto Excelêncio l'interdisait. Seul Salufo avait le droit de manipuler ces chargements. Il les transportait sur son dos, sans l'aide de personne, dans le magasin qui était fermé à double tour. Cet entrepôt est en réalité l'ancienne chapelle de la citadelle. Si l'endroit a un jour été sacré, à présent il l'est encore plus. Mille restrictions entourent la chapelle, convertie en dépôt de marchandises. Personne n'a le droit d'entrer, en dehors de Vasto Excelêncio. Et de Salufo Tuco, lorsqu'il en a l'autorisation. Ce qui était pour moi facile à comprendre : mon mari ne voulait pas qu'on ait vent des quantités réelles de nourriture, de savon, de couvertures. Vasto ne voulait pas que des yeux fassent des commérages sur des choses que jamais ne toucheraient des mains.

Salufo exécutait les travaux domestiques dans notre maison. J'aimais sa présence. Dans son corps de géant se cachait une âme délicate. Il me faisait beaucoup de confidences. Il y avait dans ce qu'il disait une doléance permanente : la condition des pensionnaires le désolait. Et il affirmait qu'à la campagne, dans les villages, les vieillards avaient un statut beaucoup plus satisfaisant. La famille les protégeait, ils étaient écoutés et respectés. Les anciens avaient le dernier mot sur les questions les plus graves. Salufo se souvenait des temps jadis et son visage devenait un visage d'enfant. Ensuite, à la toute fin, il se fermait, plein de mélancolie.

Un jour, Salufo m'avoua qu'il avait décidé de s'enfuir. Cela me rendit triste : je ne perdais pas seulement un domestique, je perdais un ami. Mais sa décision était prise. Et il me demanda de ne rien dire à Vasto. En dépit de ma tristesse, je l'assurai de ma complicité.

– Mais comment vas-tu faire pour passer par ces chemins minés ?

– Je suis un militaire, je connais les secrets de la guerre. Je sais comment on pose et comment on enlève les mines.

Son plan était d'emmener avec lui tous les vieillards qui étaient dégoûtés de l'asile. Il s'était déjà préoccupé, en secret, de les contacter. Presque tous avaient accepté de s'enfuir avec lui. Une demi-douzaine à peine avait refusé. Ils avaient peur de se risquer ? Ou, la mort les ayant déjà suffisamment enseignés, étaient-ils résignés à ce petit, tout petit, destin ?

A mesure que se rapprochait le moment prévu pour l'évasion, une angoisse croissante s'empara de moi. Une chimère de Salufo pouvait entraîner dans la mort nombre de ces vieillards. Je le fis venir et lui demandai :

– Salufo, ne pars pas comme ça, sans préparation.

– Qu'est-ce qu'il faut que je fasse, madame ?

– J'ai réfléchi. Consulte Man Nenni, elle peut bénir ton voyage.

– Madame, mulâtre comme vous êtes, tellement portugaise dans l'âme, vous croyez à ces choses ?

– Je crois, Salufo.

Peut-être l'a-t-il fait uniquement pour m'être agréable mais Salufo consentit. Il alla, l'après-midi même, consulter la vieille sorcière. Je ne sais pas ce qu'entre eux ils mirent au point. Tout ce que je sais c'est que ce soir-là Man Nenni apparut chez moi. A ma grande surprise, elle me prit les mains et me supplia :

– Vous, Ernestina, empêchez-le de partir. C'est que je… que je ne suis pas une vraie sorcière.

– Vraiment ?

– Je ne l'ai jamais été. Je n'ai pas ces pouvoirs, Ernestina.

Son corps semblait réclamer une consolation. Mais sa voix ne laissait transparaître aucune fragilité. Quoi qu'il en soit, je la réconfortai :

– Vous avez des pouvoirs, je sais.

– Comment pouvez-vous savoir ?

– C'est quelque chose qu'une autre femme sait voir.

Man Nenni secoua la tête, manière ou de nier la vérité de mes paroles ou de renier son passé de faussetés, je ne sais. Tandis que le groupe des fugitifs terminait les préparatifs de départ, je vis que Man Nenni priait, implorant tout bas :

– Ne pars pas, Salufo, je te le demande par la foi en Notre Seigneur.

Mais Salufo s'était engagé à partir et à emmener les autres. Il avait attendu la nuit. Par respect envers une prière de la sorcière. Celle-ci lui avait dit : un voyageur ne doit jamais partir au crépuscule. Salufo allait en tête, précédant les vieillards et il salua avec un bâton avant d'être avalé par l'obscurité. Ils prirent congé de l'asile en poussant un « Ouooh » surprenant. Après, j'ai su. Ils imitaient le cri du hibou. C'était, tout ce vacarme, pour jeter un sort à Vasto Excelêncio.

Je demeurai éveillée, inquiète, toute la nuit. J'avais peur à chaque instant d'entendre des détonations. Que l'un des vieux mette le pied sur une mine, le fracas résonnerait en écho à travers la savane. Il n'était pas possible que cela passe inaperçu. J'étais tellement tendue, l'oreille attentive, que je ne me rendis même pas compte que Vasto n'était pas dans la maison. Je le surpris comme il rentrait, se faufilant à pas de loup, et l'on était déjà presque au matin. Il sursauta lorsqu'il me vit, assise sur la véranda :

– Tina ? Qu'est-ce que tu fais là ?

– Rien. Le sommeil me fuyait à l'intérieur de la maison.

– Je… je suis allé voir…

– Laisse, Vasto, ne parle pas. Je n'ai rien demandé.

La nuit se termina, finalement, sans incident. Les vieillards avaient franchi la zone des mines. Je m'isolai dans ma chambre, désœuvrée, absente à tout et à tous. Marta vint encore me voir quelquefois. Mais je n'avais pas les mots. Elle me prenait les bras, en silence. Et nous restions les yeux dans les yeux l'une de l'autre ainsi que l'on contemple le sans-fond d'un océan.

Au bout de deux mois, néanmoins, Salufo revint. Il réapparut la mine triste, déguenillé. Il arriva et s'installa sans parler à personne. Il entra dans le débarras qui lui servait de chambre et reprit ses tâches quotidiennes comme s'il ne s'était rien passé. Je lui demandai ce qui était arrivé. Il ne répondit pas. Il s'attarda, vaquant à des occupations tout entières inventées. Vers le soir seulement, la journée finie, il s'assit et parla. Il était profondément blessé. Le monde, à l'extérieur de l'asile, avait changé. Personne à présent ne respectait plus les vieux. En dehors des asiles comme à l'intérieur c'était la même chose. Dans les autres foyers de vieillards la situation était pire encore qu'à São Nicolau. Les gens de l'extérieur, les familles, des soldats venaient voler la nourriture. Et les vieux qui désiraient tant, naguère, qu'on vienne les voir ne voulaient plus recevoir de visiteurs.

– Nous avons subi la guerre, il nous faut maintenant subir la Paix.

Salufo s'expliquait comme suit : partout dans le monde, les familles arrivent avec des brassées de souvenirs pour réconforter ceux qui sont dans les asiles. Dans le pays c'était le contraire. Leurs parents venaient visiter les vieux pour les voler. A la cupidité des proches s'ajoutaient celle des soldats et la rapacité des nouveaux dirigeants. Tous venaient leur arracher la nourriture, le savon, les vêtements. Des organisations internationales envoyaient de l'argent pour renflouer les services sociaux. Mais cet argent, les pensionnaires n'en voyaient jamais la couleur Tous s'étaient métamorphosés en cabris. Et comme dit le dicton : le cabri mange là où il est attaché.

Lorsque Salufo raconta ces choses à ses amis de l'asile, ils n'en voulurent rien croire. Ils disaient que c'était une de ses inventions pour les décourager de partir. Salufo répondait : vous êtes l'écorce de l'orange où il n'y a déjà même plus un reste du fruit. Ceux qui tiennent le pays ont déjà tout pressé. Ils en sont maintenant à presser l'écorce pour voir s'il y a encore un peu de pulpe qui sort.

Ensuite, Salufo Tuco cessa d'aborder le sujet. Il refusait d'évoquer ce qui s'était passé pendant ces deux mois hors de São Nicolau. Et je comprenais. Salufo avait réussi à s'abriter chez des neveux à partir d'un mensonge. Il avait déclaré avoir des biens, beaucoup d'argent. Uniquement pour que les plus jeunes l'hébergent et lui donnent à manger. Salufo avait échangé un mensonge contre un petit coin dans un foyer. N'en pouvant plus de ce monde, il avait décidé de revenir à São Nicolau.

– Je préfère être maltraité par Excelêncio. (Et il avait ajouté, en riant à demi :) Pour être ensuite consolé par vous…

Et maintenant, Salufo, que comptes-tu faire ? C'était la question que j'aurais dû poser. Mais je préférai me taire. Pourquoi le martyriser ? Salufo parut avoir deviné mon interrogation. Il se leva et dit :

– J'ai été soldat. Vous savez ce que je vais faire ?

Il m'exposa son incroyable plan : il allait retourner miner les champs autour de la forteresse. Il enterrerait les mines que sur la route, là-bas, on était en train de déterrer.

– Ils sont en train de déminer. Je vais m'employer à miner.

Je ne comprenais plus. Tout me paraissait dépasser à tel point les choses réelles que je ne savais même plus quelles questions poser. Comment le vieux Salufo allait-il se procurer des explosifs ?

– J'en ai apporté avec moi, que j'ai volés. Personne ne m'a vu. Ils déplantent là-bas, moi je recommence à planter de ce côté-ci.

– Mais, toi, Salufo…

– C'est maintenant que cette citadelle va devenir une vraie forteresse !

– Tu perds la tête, Salufo ?

– Non, madame. Qui est fou ce sont eux.

– Mais pour quoi faire ? Miner pourquoi, Salufo ?

– J'ai vu ce monde. Je veux empêcher que quiconque arrive ici nous emmerder.

– Mais qui ici… qui peut venir ?

– Ils vont sûrement venir, Dona Tina. Ils vont venir ici dès qu'ils n'auront plus rien, plus d'herbe là, dans les villes.

Je savais bien ce que disait Salufo. J'avais vécu en ville et j'avais observé l'avidité des nouveaux riches. Désormais, tout était permis, toutes les sortes d'opportunisme, toutes les malhonnêtetés. Tout était converti en herbe, matière bonne à être mangée, et ruminée, digérée dans des panses de plus en plus gloutonnes. Et tout cela jusqu'auprès de misères les plus affligeantes.

Salufo Tuco voulait fermer la voie au futur. Et il n'en restait pas aux intentions. Il s'activa, de toute son âme, à son étrange mission. Il disait à Vasto Excelêncio qu'il partait alentour, dans la savane, ramasser un peu de verdure, quelques feuilles de *nkakana* pour Man Nenni. Vasto avait l'air de prendre ses dires pour argent comptant. Ou il faisait semblant. Car c'était un jeu mortel. Un de ces quatre, le vieux exploserait, déchiqueté, sur une de ses mines. Il agitait sa grande main en l'air lorsque mon mari faisait semblant de l'avertir.

– Je suis immunisé contre les mines, patron. N'oubliez pas que j'ai été un *naparama.*

Tous les matins aux aurores, le soleil n'avait pas encore percé, il partait muni d'un sac et d'une bêche. *Je vais planter, la terre se fâche quand nous ne plantons rien. Les champs virent amers lorsque les hommes les abandonnent.* Vasto Excelêncio, les mains dans les poches, semblait s'amuser en regardant l'employé s'éloigner. Salufo Tuco se retournait encore une fois et il insistait :

– C'est vrai, mon patron : cette misère c'est la terre qui se venge.

Un matin je fus réveillée par la voix de Vasto. C'était encore le petit jour. Dans le dépôt, derrière la maison, mon mari défunt agonisait Salufo d'injures. Je me levai pour aller voir. Je m'interposai, les interrompant :

– Qu'est-ce qui se passe, Vasto ?

– Ce fils de pute a ouvert le magasin.

Et il m'ordonna de les laisser. La suite n'allait pas être le genre de scène pour une femme. Et de fait. Ignorant ma présence, Vasto saisit le vieux par ses haillons, exigeant qu'il s'explique sur ce qu'il avait volé. Salufo n'eut pas le temps de répondre. Déjà le poing de Vasto s'écrasait de toute sa force sur sa bouche. Salufo tomba. Une grêle de coups de pied lui plut dessus. Le corps de Salufo tressautait au commandement des coups. Vasto était hors de lui. Je hurlai, le suppliai de laisser le vieux en paix. Finalement, il s'arrêta de cogner et, fulminant, il bégaya :

– Je vais aller voir ce que tu as pris. Malheur à toi, fils de pute !

Salufo Tuco ne mourut pas sur-le-champ. Lorsque Vasto Excelêncio l'abandonna, terrassé et qui ne bougeait plus, il respirait encore. Son corps, cependant, était déjà paralysé. Il me demanda d'appeler les autres vieillards. Je partis en courant. Lorsque les vieux se furent rassemblés autour de Salufo, sa demande les sidéra :

– Attachez-moi à la girouette.

Ils hésitèrent, perplexes. Mais, ensuite, ils obéirent. Salufo parlait tout le temps du moulin à vent. Il observait, tout yeux, les pales en train de tourner et s'enivrait de ce mouvement. Et il disait : ce petit vent là-haut est tout entier fait main. Il devait exister des raisons qui m'échappaient parce que les vieux acquiescèrent à sa demande et l'emmenèrent là-haut. Je ne sais pas comment ils réussirent à monter l'escalier du moulin à vent en portant ce poids vivant. Ils l'amarrèrent aux pales de la girouette. Les bras et les jambes en croix. Comme il le demandait : à fleur de ciel, dans l'attente des rafales de vent. Cela faisait des jours que pas même la plus petite brise ne visitait nos cieux.

Fut-ce de la magie, fut-ce une coïncidence, toujours est-il qu'à ce moment précis les vents se levèrent et les hélices du moulin se mirent à tourner. Salufo Tuco tournait avec elles, pareil aux aiguilles d'une montre. Nous en dessous, regardions dans l'angoisse Salufo Tuco sur ce carrousel. Lui toutefois avait l'air de s'amuser. Il riait même aux éclats lorsqu'il restait la tête en bas. Un temps passa et, bientôt, il se tut, les yeux grands ouverts. J'eus l'impression qu'il s'était évanoui. Brusquement, le vent s'arrêta. Salufo immobile là-haut, pareil à un drapeau. Le ciel qu'il désirait tant semblait lui être entré par les yeux. C'est alors que surgit Vasto Excelêncio. Il arrivait de l'entrepôt, pire qu'une bête féroce. Il soufflait de la bave et de l'écume. Ses yeux lancèrent des éclairs lorsqu'il découvrit Salufo Tuco suspendu à la girouette. Nous ne comprenions pas comment il pouvait se faire que cet être amarré là-haut l'irrite à ce point. Il ordonna en hurlant que les vieillards le détachent et le ramènent en bas.

Ce qu'ils firent. Lorsqu'ils déposèrent son corps sur le sol, Salufo était déjà sans vie. Excelêncio, frustré, s'acharna encore contre la dépouille. Ensuite, pestant et jurant, il s'éloigna. J'hésitai à l'accompagner. Mais je devais une fidélité plus grande à Salufo. Et je me joignis aux autres vieillards qui formaient le cercle autour du mort. Craintive, je me penchai sur lui. Je remarquai alors de quelle étrange façon le défunt nous contemplait. Il semblait que tout son corps soit mort, sauf les yeux. Comme je le dis : les yeux regardaient, vivants. Les vieillards observaient, incrédules. Nhonhoso était le seul à ne pas s'étonner :

– Et alors, il n'existe pas de vivants qui ont les yeux morts ?

Il parlait des aveugles. D'où, selon lui, il était naturel qu'existent aussi des morts avec des yeux vivants. Je ne mêlai pas mon mot à cette conversation. Il y avait des urgences plus grandes.

– Qu'allons-nous faire de lui ?

Les vieillards hésitaient quant au destin à donner à ce mort. Car il se dégageait de Salufo Tuco comme un soupçon de braise sous la cendre. Qui savait le sûr concernant son état définitif ? Et ils s'attardèrent, le saluant, lui parlant, débitant des plaisanteries. Jusqu'à, finalement, l'emmener pour l'enterrer plus loin. Je restai là, immobile, comme si la terre elle-même me faisait signe. Pendant encore quelques instants, les éclats de rire de Salufo me résonnèrent dans les oreilles comme un écho venu du temps.

Ils me racontèrent ensuite qu'à l'endroit où ils l'avaient enterré on entendait des bourdonnements de mouches sortir des profondeurs du sol. Oui, ces taons devaient être descendus dans la tombe en même temps que Salufo. Et quiconque passait par là devait entendre les insectes bourdonner sous la terre.

D'autres disent que c'est Salufo Tuco qui ronfle dans son lit définitif.

Voilà. Déjà, j'entends les voix de ceux qui viennent me chercher. Je vais clore cet écrit tandis que je m'enclos en lui. Ceci est ma dernière lettre. J'avais déjà, avant elle, couché ma voix dans le silence. A présent ce sont mes mains que je tais. Les paroles valent la peine lorsqu'elles nous ensorcellent. Et quand bien même ce serait pour nous faire souffrir comme il en a été de mon amour pour Vasto. Mais, désormais, je suis incapable de sentiment. Je me fais au tréfonds de moi-même impénétrable, je mène mon apprentissage de citadelle. Je sais déjà à qui, au terme de ces lignes, je vais confier cette lettre. A Marta Gimo. Elle a été la dernière personne à m'écouter. Que je prenne dans ses yeux congé de ma toute dernière parole. Je m'en vais, à présent, à mes rêves.

Tina

# *12*

# *Le retour au ciel*

Cette nuit-là, pendant qu'Izidine dormait, le pangolin me rappela. Exilé, brutalement, hors de mon hôte, je retournai à mon logis de trépassé, solitaire et profond. Il me fallut un moment pour passer d'une vision à l'autre. Le temps que le pangolin surgisse à nouveau sous mes yeux. L'animal, enroulé sur lui-même, avait l'air de dormir.

– Dormir, moi ? Je me réveille plus tôt que le ciel.

Le pangolin se désentortilla. Et, sans introïts, il me lança :

– Accepte, Ermelindo. Tout cela est très dangereux.

Le pangolin voulait me convaincre de revenir définitivement dans mon trou. Je devais renoncer au monde des vivants. Et autoriser qu'on me traite en héros.

– Sois un héros, ils t'embêteront seulement une fois l'an.

Habiter parmi les vivants ne pouvait me valoir que des malédictions. Le *inhacoso* était mort quand il avait voulu s'assurer de la réalité de ce qu'il avait sous les yeux. Conforme-toi et reste, Ermelindo, reste dans ta tombe. Accepte qu'ils viennent te promouvoir au statut de héros. Cela te heurte que ce ne soit pas vrai ? Fais comme le porc-épic. Ne sont-ce pas les épines qui lui assurent sa tranquillité ? As-tu jamais vu un porc-épic se blesser à ses propres épines ?

Je m'assis sur ma tombe. Je pris le vieux marteau dans mes mains. J'en frappai un grand coup dans le sol. Non, je ne pouvais pas revenir maintenant. Le monde des vivants était dangereux ? Mais je m'étais déjà frotté à ce mirage. Et de plus, il ne me manquait plus grand temps avant de parvenir au terme de cette pérégrination dans le corps d'Izidine. Le policier n'était-il pas condamné ? Ses jours n'étaient-ils pas comptés ?

Et il y avait autre chose, une chose que je ne pouvais pas avouer au pangolin. C'était le goût que j'avais pris à sentir, proche de moi, une existence de femme. Marta Gimo me dispensait l'illusion de revenir au temps où j'en avais aimé une, inauthentique. Dans la tombe, je n'avais pas accès à la mémoire. J'avais perdu la capacité de rêver. Alors que, logé dans un corps de vivant, je me souvenais de tout, j'étais omnimnésique. C'était comme vivre derechef, en voyage d'aller et retour.

Je me souvenais, par exemple, du son que produit le bois quand on le martèle. Et c'était comme voir se dérouler aujourd'hui ce temps où j'avais travaillé dans la citadelle. Le temps où je me mettais, dès le petit matin, à convertir le bois en planches, équarrissant le carré de la fenêtre, le rectangle de la porte. Un jour – je ne suis pas à la veille d'oublier ce jour-là –, certains individus vinrent me trouver. Ils me tirèrent par les épaules et, de détestable façon, m'interrogèrent :

– Tu n'as pas honte de fabriquer du châtiment pour tes frères ?

Des frères ? Ceux qu'ils appelaient des « frères » n'avaient aucune parenté avec moi. C'étaient des révolutionnaires, des guérilleros. Ils luttaient contre le gouvernement des Portugais. Je n'avais pas le cœur à me mêler de ces conflits. J'avais toujours étudié à la mission, chez les pères. Ils avaient modelé mes manières, calibré mes attentes, mes expectatives. Ils m'avaient éduqué dans une langue qui ne m'était pas maternelle. Cette mésencontre éternelle entre le dire et l'idée me pesait lourd. J'avais par la suite appris à ne pas réclamer du monde plus que mon maigre destin. Tout ce que j'ai reçu en fait d'héritage a été la pauvreté. Et en fait de cadeau, on m'a refilé la peur. Je ne demandais qu'une chose : qu'on me laisse dans ce conformisme.

Les autres néanmoins, embauchés comme moi, me harcelaient. Eux, par exemple, faisaient seulement semblant de travailler. En réalité, ils créaient des difficultés, mettaient des bâtons dans les roues. J'étais le seul à prendre au sérieux le chantier de la prison. Et c'était ce qu'ils me reprochaient : j'agissais, bourreau des justes, travaillais en traître. Je leur ris à la figure. Qu'ils considèrent le cas du Christ. Quelqu'un se souvient du charpentier qui, dans son atelier, a fabriqué la croix ? Quelqu'un lui fait porter la faute ? Non. La main pécheresse a été celle qui prit le marteau pour clouer les poignets du Seigneur.

– Tu arrêtes de marteler ou nous te martelons les cornes.

Qui parle consent ? Je ne dis mot. Je regardai les *mamparras*. On aurait dit des araignées. De ces araignées énormes qui, une fois mortes, se ratatinent infimes moins que rien. Je souris, dédaigneux. L'un d'eux me fit de grands gestes de menaces :

– Les traîtres paient. Avec toi, ça va être à feu et à cris.

Je réintégrai ma cabane. Je m'enfermai, comme je faisais toujours, dans le noir le plus total. Dans ma chambre il n'y avait pas de tentures. La porte et les rideaux étaient en bois : il était impossible qu'un rai de lumière parvienne à pénétrer. Cette nuit-là, il me coûta de rester seul avec moi-même. Mes yeux scrutaient dans le lointain au point de cueillir d'anciens chagrins. Et mes paupières m'inondèrent, noyées de tristesse. Je pleurais, finalement, à quel propos ?

Le lendemain matin, j'allai trouver le contremaître. La femme me reçut et me demanda d'attendre. Le mari n'avait pas fini de casser la croûte. Mais j'étais dans un tel état d'inquiétude que j'envahis la pièce. L'homme prit un air perplexe lorsque je demandai :

– Patron : je ne veux plus travailler à l'intérieur de la citadelle.

J'improvisai un chiffon d'excuse. Que de la sciure s'introduisait dans ma poitrine. Que j'étais comme les gens de la mine avec les poumons à ciel ouvert. Je toussais déjà plus que je ne respirais. L'homme accepta. Il me transféra sur le chantier de la plage. Là, près des rochers, on construisait un mouillage. Dans un avenir proche, des bateaux remplis de prisonniers arriveraient par là. Ils ne pourraient aborder qu'une fois franchie la barrière des rochers. Des jours et des jours, je mariai planche contre planche, prolongeant le bord du rivage. L'ordre de disposer sonnait, tous se dispersaient. J'étais le seul à rester regarder la mer, cette terrasse lumineuse. Je m'offrais là le réconfort d'une illusion : rien dans ma vie ne s'était perdu. Ce n'était tout que vagues, en va-et-vierrances.

C'est sur ces entrefaites que je commençai à recevoir la plus étrange et douce des visites. La première fois, quasiment je clamsai de peur. Je dormais quand je sentis une main qui me touchait. Ils avaient forcé ma porte pour me décompter la vie ? Non, l'intruse me dispensait des caresses sucre et miel. Je sentais sa respiration, qui enfiévrait l'air. Ses lèvres pianotaient sur ma peau, elles semblaient déchiffrer mes contours. Puis elle me mordit le cou. Je ne parvenais pas à deviner qui c'était. Son visage ne s'offrait pas à ma reconnaissance. Ensuite, la silhouette descendit sur moi, elle enroulait ses bras autour de ma poitrine. Elle se collait contre mon torse, je sentais ses rondeurs adhérer à moi. Les seins, le ventre, les fesses. Rien au monde n'est aussi rond que des fesses de femme. Son corps se rallia à mon tangage, à mon ancrage, à mes épanchements. Mon amante anonyme se mit à beaucoup me fréquenter. Au terme d'un nombre de nuits incalculable, déjà la visiteuse me connaissait sur le bout de la langue.

Les jours suivants je vécus cette unique obsession : deviner qui pouvait être la visiteuse nocturne. Pendant un temps, je crus que c'était la femme du contremaître. Ce n'était pas seulement son corps qui suggérait des ressemblances. C'était, surtout, l'attitude exacerbée du mari. Le contremaître se doutait de ces escapades amoureuses ? Je devais n'en jamais rien savoir.

Une fois, la femme du contremaître m'arrêta. Elle commenta ma petite mine. J'exagérais dans le travail ? Ou je me consumais en entreprises passionnelles ? Elle souriait, coquine. Je bégayai un silence. Elle me tranquillisa : *ne te prends pas la tête, Ermelindo Mucanga, les hommes n'aiment jamais que des irréalités, ils poursuivent des fantômes de femmes.*

Cette nuit-là, j'attendis avec anxiété l'arrivée de la visiteuse. J'étais certain, maintenant, de son identité. Je la devinai, qui entrait dans la cabane et se dissolvait dans l'obscurité. Ses mains me touchèrent et je sentis le même frisson me traverser le corps comme un éclair. Je savais ce qui allait suivre et j'offris mon cou. J'attendais la lèvre, la dent, la langue. La femme différa sa caresse. Jusqu'à ce que je sente son haleine chaude m'humecter le creux de l'oreille. C'est alors que, violentes, les dents s'enfoncèrent dans ma chair. Ce qui me surprit le plus ce fut mon propre cri. Je ne sais si les autres hurlements que je ne pus contenir, d'autres les ont entendus. Car ce dernier intrus, je le sus trop tard, était mon bourreau.

L'unique que, de toute ma vie, j'avais aimée avait été une femme avec énormément de corps mais sans du tout de visage. Et je me surprenais parfois à subodorer : était-ce que j'avais, vivant, été un psychopompe ? N'était-ce pas cela qui m'avait tué ? Et voici que, devenu moi-même un psychopompe, j'étais amoureux d'une vivante bien réelle. Elle, Marta Gimo. L'infirmière donnait corps à la visiteuse de mes nuits dans la cabane. Comme si ce n'avait tout ce temps, vêtue ou dévêtue, jamais été qu'elle. Marta me remémorait cette vision, enivrillante. Le souvenir, tel un animal sous la terre, me creusait dans la poitrine un autre cœur.

Le pangolin avait écouté ma confession. Il devinait les parties que j'avais omises ? L'animal se désentortilla encore davantage :

– Tu te choisis, mon frère. Tu préfères être taupe ou crabe ?

Le pangolin avait peur de perdre la compagnie que je lui faisais. Et il m'avertit : *prends garde à toi, Ermelindo : cœur qui aime s'élargit. Mais l'amour croît plus vite que la poitrine. Tu as le coffre qu'il faut ?* Là, nous parlementâmes. Qu'est-ce que se croyait le pangolin ? A force d'anciennetés, il avait désormais la langue plus grande que la bouche. Tout compte fait, lui aussi avait déjà des ratés de magie. La dernière fois qu'il était descendu à terre, il était tombé dans de tels désarrois que de grandes quantités de ses écailles s'étaient disjointes.

– Ce n'est rien, c'est la lumière qui me rend aveugle.

Je connaissais l'argument du *halakavuma*. Nous nous mettons à apprendre le monde alors même que nous sommes encore dans un ventre de mère. Dans la rondeur du ventre nous apprenons à voir avant de naître. Les aveugles, qui sont-ils ? Ce sont ceux qui n'ont pas eu assez de temps pour finir d'apprendre. Les dires du pangolin, cela faisait déjà un bail que je les connaissais par cœur et sur le bout des doigts.

Mais dans le trou de la tombe, pendant ma mort, j'avais été aveugle à l'intérieur. Je ne pouvais plus voir mon passé, j'en avais perdu le souvenir. Non que sa vue me soit devenue inusuelle. C'était pire. J'étais comme le chien qui n'a plus le sens des odeurs. Il y a des choses que nous apprenons pour prendre nos distances par rapport à l'animal que nous sommes. De tels apprentissages nous coûtent tellement que nous ne nous en souvenons même pas. Un de ces oublis auxquels nous avons été contraints a fait que les dents, chez nous, n'ont plus pour office de mordre. Grâce à la mystérieuse visiteuse, j'avais appris que la dent peut, dans le même temps, être lame et velours. La morsure de la dernière nuit m'avait enseigné la leçon définitive de la mort.

Le marteau dans ma main recommença à peser. Le moment de choisir était arrivé : je retournais du côté de la vie, me réfugiais de nouveau à l'intérieur d'Izidine Naïta. Je m'étais attaché à ce garçon, il était fait de brave humanité. Que le *halakavuma* le permette ou non, je décidai de revenir à la vie.

# *13*

# *La confession de Marta*

Le coupable que vous cherchez, cher Izidine, n'est pas quelqu'un. C'est la guerre. C'est la guerre la coupable de toutes les fautes. C'est elle qui a tué Vasto. C'est elle qui a déchiré ce monde où les gens âgés avaient jadis lustre et légitimité. Ces vieillards qui pourrissent ici, avant le conflit on les entourait. Il y avait un monde qui les aimait, les familles se mettaient en peine pour les vieux. Après, la violence a entraîné d'autres urgences. Et les vieillards ont été expulsés, hors du monde, hors de nous-mêmes.

Vous vous demandez sûrement quelles raisons m'attachent ici, dans cette solitude. J'ai toujours pensé que je pouvais répondre. Aujourd'hui, je n'en suis plus si sûre. La violence est la première raison de ma retraite. La guerre engendre un autre cycle dans le temps. Ce ne sont plus désormais les années, les saisons qui marquent nos vies. Ce ne sont pas davantage les cueillettes, les famines, les inondations. La guerre installe le cycle du sang. Nous nous sommes mis à dire : « Avant la guerre, après la guerre. » La guerre engloutit les morts et dévore les survivants. Je ne voulais pas n'être qu'un résidu de cette violence. Ici au moins, dans la citadelle, les vieux instauraient un autre ordre dans mon existence. Ils me donnaient accès au cycle des rêves. Leurs petits délires étaient les nouveaux murs de ma forteresse.

Il y a eu une période pendant laquelle la ville m'a encore tentée. Et j'ai même essayé de m'y installer. Mais je tombai, dans ces parages, malade d'une affection qui n'a pas de nom. C'était comme si je désapprenais les fonctions les plus naturelles, voir, écouter, respirer. Et il y a eu cette autre période au cours de laquelle j'ai cru que je pourrais changer ce monde. Mais aujourd'hui j'ai renoncé. Ceci est un corps qui demeure en vie grâce à sa maladie. Il vit du crime, il se nourrit d'immoralité. Vous, par exemple, qui êtes dans la police, vous ne vous demandez pas combien de temps il va falloir pour qu'à votre tour vous soyez contaminé par la maladie des suborneurs ? Vous savez parfaitement à quoi je fais référence : les enquêtes qui s'achètent, les agents qui se vendent. On vous a retiré l'enquête sur le trafic des drogues. Et vous avez été transféré dans une autre brigade que celle des stupéfiants. Pourquoi ? Vous le savez très bien, Izidine. Et pourquoi vous ont-ils envoyé ici, loin de tous ces esclandres ? Ne dites rien, je change de sujet. Finalement, c'est sur ma personne qu'il faut que je m'étende.

Vous voyez ce bâtiment, plus loin, complètement en ruine ? Cela a été jadis une infirmerie. C'était là que je travaillais. Je recevais des médicaments qu'on nous faisait parvenir de la ville. Mais l'asile a été attaqué, quelques semaines après mon arrivée. Des hommes d'une bande armée sont entrés, ils ont volé, ils ont tué. Ils ont mis le feu à l'infirmerie. Deux vieilles femmes sont mortes. Et si les autres pensionnaires ne sont pas tous morts, vous savez grâce à qui ? Vous allez être surpris, cher Izidine. Grâce à Vasto Excelêncio. Ça vous étonne ? Eh bien oui, c'est Vasto qui s'est précipité dans les flammes et qui, prenant son courage à deux mains, a sauvé les autres malades. Il n'est resté de tout le bâtiment que des murs noircis.

Je me suis retrouvée, après la tragédie, dans le même état que ces ruines. Surtout lorsque j'ai appris que la première raison de l'attaque, la première, ç'avait été moi, Marta Gimo. Les bandits voulaient me kidnapper, m'emmener dans leurs camps. Il m'a fallu du temps pour me remettre de cet incident. Je ne me suis jamais totalement rétablie. La guerre laisse en nous des blessures qu'aucun temps au monde ne peut cicatriser.

Je demandai à Excelêncio qu'il fasse livrer un nouveau contingent de médicaments pour réinstaller le dispensaire dans ma chambre. A l'époque je ne dormais déjà plus sous ce toit. Mais les hélicoptères de l'armée qui faisaient la navette entre Maputo et la citadelle n'étaient jamais disponibles. La réponse que j'obtenais de Vasto Excelêncio était toujours la même : il y avait d'autres priorités. J'ai perdu cette possibilité de me réinventer. En remontant l'infirmerie je me serais beaucoup mieux récupérée.

Sans le centre et sans médicaments, je me suis vue privée de raisons de vivre. Vous ne pouvez pas imaginer combien ce travail dans l'infirmerie a pu m'être indispensable. J'avais là mon petit hôpital, où je m'employais à faire du bien. Vous devez comprendre :

j'ai été élevée comme une assimilée. Je suis de Inhambane, il y a des générations que, chez moi, nous ne portons plus nos noms africains. Je suis d'une famille d'infirmiers. Exercer ma profession me rapprochait de la famille que j'ai perdue il y a longtemps. Non que mon travail d'infirmière ait été facile. Au début, j'ai failli renoncer. J'entrais dans la salle et je sentais cette odeur de chose pourrie. Je posais des questions sur l'origine de cette odeur. Les vieux me montraient le vide de leurs bouches. L'odeur provenait des oreillers, de la bave nocturne des édentés. Je l'ai cru pendant un temps. Après, je me suis rendu compte que ce n'était pas ça. L'odeur provenait des restes de nourriture qu'ils cachaient sous leurs oreillers. Ils protégeaient ces restes, de peur qu'on les leur vole. Ces vieillards affabulaient tellement qu'ils inventaient même parfois des nourritures que, sous les oreillers, on n'arrivait pas à découvrir.

Je vais vous dire : ces histoires que vous enregistrez dans votre carnet sont pleines de choses fausses. Ces vieillards mentent. Et ils vont mentir davantage si vous continuez de leur manifester votre intérêt. Cela fait si longtemps que plus personne ne leur donne de l'importance. Un des mensonges c'était celui de Salufo lorsqu'il prétendait que sa famille l'aimait bien. Ce n'était pas vrai. Il faisait semblant d'avoir des biens uniquement pour qu'on l'aime. Man Nenni s'est inventé des pouvoirs de sorcière. Tellement qu'elle a fini par en douter. Je me suis moi aussi rétablie à coups de mensonges, comme si le mensonge était la peau qui nous protège, mais dont, mieux vaut de temps à autre que nous nous défassions.

Il y a longtemps, avant d'arriver dans cet asile, j'ai été envoyée dans un camp de rééducation. J'ai été déportée dans ce camp parce qu'on m'accusait d'être une fille facile toujours en train de courir, chatte en chaleur, derrière les hommes, et d'aimer la bouteille. Pas un de mes collègues, à l'hôpital, n'a levé le petit doigt pour me défendre.

Aujourd'hui, je vous dis, inspecteur : la vie est une cigarette. Ce que j'aime c'est la cendre uniquement, une fois la cigarette fumée. Dans ce camp où j'accomplissais ma peine je m'avilissais à force de sexe et de boisson, sans compter la seringue. Je ne voulais rien savoir de l'avenir. Seule la minute présente m'intéressait. Voler ne tient pas à l'aile. La petite libellule, si abrégée des ailes, n'est-ce pas elle qui a le vol le plus parfait ?

C'est dans ces circonstances que Vasto Excelêncio m'a rencontrée. Il avait de l'entregent, il m'a sortie du camp à condition que je vienne travailler comme infirmière à l'asile. C'est ainsi que je suis arrivée ici, dans cette citadelle. Au début, j'étais inconsolable. En dehors de l'infirmerie, je n'avais pas comment, dans cette déportation, occuper le temps. A tel point que je cessai de rêver. Je n'étais visitée que par des cauchemars. Il me manquait cet organe qui secrète la matière des rêves. J'étais une malade sans maladie. Je souffrais de ces accès de fièvre que Dieu seul endure. Il s'est produit ceci : d'abord, j'ai perdu le rire ; ensuite, les rêves ; pour finir, les mots. Tel est l'ordre de la tristesse, la façon dont le désespoir nous plonge dans un puits humide. C'est ainsi également que les choses se sont passées pour Ernestina. Attendez, je vais vous parler d'elle. Je veux seulement que vous compreniez l'extrême carence dont, à ce moment-là, ma vie était affectée.

C'est alors, au fond de ce puits, que je suis tombée amoureuse de Vasto. L'amour n'est-il pas le remède irrémédiable ? Un jour, il s'est amené et m'a surprise en flagrant délit de pleurs. Il a essuyé mon visage. Je ne sais pas si vous connaissez la maxime : qui essuie les larmes d'une femme lui demeure attaché comme dans un nœud fait à un mouchoir.

Vasto et moi avons commencé à nous retrouver à la nuit. Au début, il me parut faux comme le bleu qui est dans la mer sans que jamais on puisse le trouver. Mais tout, là, cache des secrets très intriqués. Je parle de l'eau, de la mer. Qu'est-ce que je sais des choses ? Seuls les oiseaux qui la contemplent depuis un autre bleu connaissent la vraie couleur de la mer. Je me fais mal comprendre ? C'est que j'ai connu Vasto, un homme très angoissé, à un moment où j'étais moi-même diminuée, amère et peu de chose. Vasto se sentait trahi. Les meilleures années de sa vie, il les avait données à la révolution. Que restait-il de cette utopie ? Au début, les apparences qui nous divisaient, nous n'en avons pas tenu compte. Avec le temps, elles se sont mises à nous jeter à la figure notre couleur de peau. Le fait qu'il soit mulâtre était à l'origine de cet exil auquel on le contraignait. Déçu, ses illusions perdues, il ne s'acceptait pas. Le complexe de sa race le hantait. Je ne savais pas encore à l'époque que, tout compte fait, nous sommes tous des mulâtres. A ceci près que, chez certains, cela est plus visible à l'extérieur. Mais à Vasto Excelêncio on n'avait su apprendre qu'à n'être pas en bonne entente avec sa propre peau. Il parlait beaucoup de la race des autres. Il punissait de préférence le malheureux Domingos. Pour qu'il soit patent qu'il ne privilégiait pas les Blancs. Pratiquer des méchancetés est devenu la seule façon pour lui de se sentir exister.

Toutefois, j'en suis venue à aimer cet homme. Je l'avoue, ne soyez pas jaloux. Je le désirais, oui, lui tout entier, ange et sexe, enfant et homme fait. S'il était beau ? Est-ce cela qui retient ? je me demande. Qui se préoccupe de la beauté ? Chez un homme, ce qui m'importe c'est de toucher la vie. C'est cela que je cherche. Je veux me sentir toute petite : étoile dans le ciel, grain dans le sable. Je rectifie : c'était ce que je voulais. En ce temps-là, je voyais encore les hommes à la façon dont les oiseaux considèrent les nuages : un endroit où l'on peut passer mais jamais habiter. Mais tout cela date d'un autre temps, j'étais encore gamine. Vasto me consacrait des attentions étranges. Avant de m'approcher il me demandait de pleurer. Les larmes me coulaient et il les avalait comme si c'était l'eau du désert. En même temps ces larmes étaient la source à laquelle il reprenait courage. Beaucoup plus que ma chair elle-même. Aujourd'hui, où désormais je ne pleure plus, je comprends Vasto. A mesure des larmes, nous nous devêtons. Les pleurs désoccultent notre nudité la plus intime.

Finalement je tombai enceinte. Mon corps, en secret, se déclarait porteur d'un autre corps. Je ne voulus en parler à personne. Je portais mon ventre en cachette, ne laissais voir aucune rondeur. Mais, à mon étonnement, Ernestina vint un jour me voir. Et elle me demanda :

– C'est pour quand ?

Je ne sus que répondre. Ernestina semblait détenir non seulement ce secret mais être également au courant de toute ma vie la plus privée. Elle me regarda au fond des yeux, sans aucune animosité. Seule une femme peut regarder ainsi. Je ne me suis pas rendu compte de ce que disaient mes yeux. A quoi s'employaient-ils tandis que je fixais Ernestina ? Je m'ouvris, honnête comme le journal intime d'une adolescente. Et je lui dis :

– Je ne vais pas garder cet enfant.

– Comment tu ne vas pas le garder ?

– Je suis infirmière, je sais comment faire.

Et je me fermai, mutique. Quels mots je pouvais articuler, dans un moment pareil ? La femme du directeur se pencha sur moi et chassa loin d'elle toute envie de méchanceté. Elle voulait me punir pour ma conduite légère ? Non. Elle s'agenouilla simplement, posa la paume de sa main sur mon ventre. Et elle demeura ainsi, actrice de son rêve.

– Cela se remarque tellement ? je demandai.

– J'ai remarqué avant même que ça arrive.

Ensuite, tristéperdue, elle implora :

– Remets-moi cet enfant.

Ernestina me tenait la main. Je restai un moment sans savoir que penser. Non, il n'y avait pas à hésiter : je devais interrompre cette grossesse. Je secouai la tête, pour montrer l'impossibilité de consentir à sa demande. Ernestina se releva d'un air pénétré, on aurait dit qu'elle venait de communier. Je la regardai, très intriguée. Je lui avais déjà remarqué, parfois, ce genre d'étrangetés. Elle avait l'habitude de se nicher, des heures, dans l'ombre du frangipanier. Elle priait ? Elle parlait avec Dieu ? Ou ajournait seulement son envie de vivre ? J'ai beaucoup prié moi aussi, beaucoup, il y a très longtemps. Après j'ai renoncé. Nous prions tellement et il y a pourtant toujours plus de journées que de pain.

Une fois de plus, Ernestina me déconcertait. Elle avait compris à quel point je refusais d'être mère. Elle tourna dans la chambre comme si elle cherchait quelque chose. Puis elle s'arrêta devant moi et commença à déboutonner sa blouse.

– Regarde !

Ses seins, volumineux, me défièrent. Sa beauté était là, s'offrant instigatrice. Elle se provoquait, caressait ses propres mamelons. Ses mains coururent sur sa poitrine, descendirent sur son ventre. Ses doigts lui faisaient l'amour ? Elle s'approcha de moi, baissa la voix, persuasive :

– Cet enfant devra boire ici, à ces seins de mulâtresse.

Et là-dessus, sans se rajuster, elle claqua la porte et disparut. Après qu'elle fut partie, je restai sans un mot. A l'intérieur de la bouche, il fait toujours sombre. J'étais quant à moi dans la plus entière pénombre. Et je me laissai, dans cette absence de moi, rejoindre par la nuit. Jusqu'à ce que, à je ne sais quelle heure, ce soit Vasto Excelêncio qui apparaisse. Il arrivait l'air grave. Avant même de me dire bonsoir, il lança :

– Je sais.

Au contraire d'Ernestina, il ne me manifesta aucune tendresse. L'homme fuyait, mal à l'aise. Il mentait ou se révélait à présent tel qu'il était ? La rosée fabrique des perles fausses ? Sans attendre, Vasto aborda la question. Ce ventre devait être corrigé le plus rapidement possible. Etant, là dans l'asile, le seul homme qui fonctionnât, les soupçons allaient lui retomber dessus. Oui, qui d'autre pouvait être l'auteur ? Et il avait peur, pauvre de lui, de perdre poste et avantages. Je souris, consternée. Vasto était entré dans le mortier mais il voulait sortir intact. Un homme est un homme ? Ou est-ce simplement qu'il n'y a pas de nez sans morve ? Lorsque, la tête sur ma poitrine, je réalisai, mes larmes coulaient. Je crus encore que Vasto allait se pencher pour boire ces gouttes. Mais non. Il ne m'arriverait plus jamais de lui servir de source.

Man Nenni me rendit visite ce soir-là. Elle aussi était déjà au courant de la grossesse. La vieille femme arrivait avec un sourire d'ange. *Maintenant, je n'ai plus besoin d'inventer*, elle me dit. *Je vais en avoir un en vrai, un enfant à allaiter.*

Et déjà, dans l'arceau de ses bras, elle s'exerçait au balancement d'un berceau. Je gardai l'œil vague, nébuleux. Dans mon état, tout, dans les propos de Man Nenni, me paraissait irréel.

Man Nenni finit par s'endormir sur une chaise. Incapable de mettre de l'ordre en moi, je rangeai autour de moi jusqu'à ce que la sorcière se réveille en sursaut. Elle secouait la tête, pressée d'écarter un mauvais présage :

– Ne fais pas cet enfant, ne le fais pas !

Et sans plus, la vieille, agitant les bras, s'éclipsa hors de chez moi. Je restai là, crépusculaire, sans savoir que penser. A qui, au bout du compte, devais-je obéir ? A Vasto, uniquement préoccupé de son propre sort ? A

Man Nenni avec ses pressentiments sévères ? Ou à Ernestina tout à son désir d'être mère de l'enfant d'une autre ? Tout bien réfléchi, la citadelle n'était pas aménagée pour des naissances. D'un autre côté, je n'avais pas non plus envie de partir. Je me rendais compte que je m'étais attachée à cet endroit, ce même endroit que j'avais tant vilipendé. Par une habitude héritée de longtemps, je me suis accoutumée à accepter les fatalités sans jamais titiller les dieux. Confuse, incapable de prendre une décision, je donnai suite à mon ventre gravide.

Ce monde a ses arrangements. Je commençai, à la place de Vasto, à recevoir des visites d'Ernestina. Elle m'apportait des nourritures et des friandises qu'elle avait préparées. Elle me donnait des conseils de repos et de brouets complémentaires. C'était comme si cet enfant était déjà le sien, comme si mon ventre grossissait dans le sien. Je lui fis part de mes tergiversations. J'étais encore à temps de décommander le fœtus. Elle porta les mains à son visage, consternée :

– Non, ne fais pas ça.

*Ne le fais pas*, elle répétait, serrant très fort mes mains. Je me suis dégagée, j'ai pris son visage. Ernestina parlait précipitamment, sans se donner le temps de respirer. Je dus élever la voix :

– Mais Vasto ne veut pas de cette grossesse.

– Vasto n'a rien à voir dans cette affaire. Ce petit que tu portes en toi est mon enfant, avec qui tu as fait l'amour c'est avec moi, ce n'est pas avec Vasto. Tu entends ? C'est notre enfant à nous, rien qu'à nous.

Ses propos m'effrayaient. Je sentis une terrible urgence de me soustraire à cette conversation. Je fus abrupte :

– Vasto est le père. Je dois le consulter.

Elle resta interdite, comme si elle avait reçu un coup. Elle laissa retomber sa tête sur sa poitrine, elle se débattait aux prises avec elle-même, jusqu'à ce que, relevant les cheveux qu'elle avait sur le front, elle me dise :

– Si cet enfant meurt, Vasto mourra aussi !

Je me sentis secourue par la force de cette déclaration. Ernestina ne s'emplissait pas la bouche de fausses promesses. Elle avait le dos solide. Elle arborait un port de reine. Forte de cette noblesse, elle posa la main sur mon épaule et me tranquillisa :

– Ne te fais pas de soucis, confie-moi l'enfant. Je vais l'emmener au loin et lui aménager une belle croissance.

Les derniers mois, je me consacrai tout entière à arrondir. Plus je devenais une pleine lune et plus Ernestina extravaguait, tenait des propos incongrus. Elle se disait déjà mère elle aussi. Elle absorbait elle-même les vitamines préventives. Elle faisait des exercices respiratoires pour se préparer à l'accouchement. Et elle brodait des petits vêtements. Elle me montrait du doigt et, s'incluant, claironnait :

« Nous, les deux mères ! »

L'impensable se produisit : le ventre d'Ernestina enfla lui aussi, circumséquent. C'était une grossesse authentique ? Ou était-ce un chantier de fantaisie ? Dans mon pays, on a coutume de demander : hurlement de chien s'entend le jour ? Vasto, l'humeur sombre, attendait le premier hélicoptère. Il exporterait son épouse incessante. Ernestina ne disait plus un mot sensé. L'hélicoptère arriva, on nous embarqua toutes les deux. Nous volâmes en direction de la capitale, on nous interna chacune dans un hôpital différent.

La nuit précédant l'accouchement, je fus assaillie par d'étranges visitations. Les vieillards de l'asile m'apparurent en rêve. Ils m'apportaient des fleurs de frangipanier. Ils m'entourèrent comme s'il s'agissait d'une veillée funèbre. Man Nenni posa les mains sur mon lit et se mit à me raconter les derniers évènements :

« Hier, dans la citadelle, il est arrivé une chose stupéfiante. Brusquement, le ciel s'est couvert de chauves-souris. Elles sont sorties en catastrophe de l'entrepôt où Vasto Excelêncio cachait ses marchandises. Grisâtres, de la couleur des morts, les vampires ont déployé un nuage de brume sur le monde. On aurait dit une éclipse. Les bêtes ont rasé les maisons, exhibant dents et mandibules. On entendait leurs ailes comme les hélices des hélicoptères de l'armée. Les vieillards, épouvantés, se sont précipités à l'abri. Alors, les chauves-souris se sont mises à attaquer les hirondelles. Elles les dévoraient là-haut, en plein vol. Et il y en avait une telle quantité de ces petits oiseaux sacrifiés que, partout, giclaient des gouttes rouges. Les plumes dansaient en l'air et retombaient gentiment sur le sol. On aurait dit que c'était les nuages qui se déplumaient. Il a plu tant de sang que la mer, ce jour-là, s'est tout entière teintée de rouge. »

Je me suis réveillée avec le médecin à mon chevet. Il me tenait la main et me disait :

– Je suis tellement désolé. Nous avons fait tout ce que nous avons pu.

Dans la nuit, j'avais perdu mon enfant. Et Ernestina son second petit garçon. Je contemplai mon corps, déjà dépourvu de volume. Les dieux avaient-ils accédé à mes désirs cachés de ne pas être mère ? Soudain, une vision là, sur les draps, m'a fait sursauter. Les fleurs blanches du frangipanier reposaient à côté de moi. Je me suis endormie consolée par leur parfum.

Lorsque je suis revenue au fort, tout était tel que je l'avais laissé. L'indifférence de Vasto. La folie d'Ernestina. La tendresse des vieillards qui me reçurent comme si, réellement, je m'étais haussée à la condition de mère. Et je dus apprendre à retenir mes larmes lorsqu'ils me traitaient de « maman ». Ce sont aussi ces vieillards qui m'ont enseigné comment cicatriser la blessure qui m'avait déchiré l'utérus et l'âme.

Vous comprenez maintenant la vraie raison pour laquelle je dors sans toit au-dessus de moi ? C'est que, dans mon pays, les femmes en deuil ne peuvent dormir qu'au serein. Jusqu'à ce qu'elles soient purifiées de la mort. Mais, en moi, la tache de la mort n'a pas d'eau où pouvoir se laver.

Un jour, me sentant déjà mieux, je décidai de rendre visite à Ernestina. Elle était revenue de l'hôpital, sans la guérison attendue. Elle était aussi, dans l'intervalle, devenue muette. L'écrit était sa seule parole. Elle s'enfermait dans sa chambre, enveloppée dans la pénombre. Le papier était sa seule fenêtre. La dernière de ses lettres est celle que je vous ai communiquée. Je vous ai remis ces feuillets avec le cœur, le même que celui avec lequel je vous livre mes propos. Comme s'il s'agissait des langes recouvrant notre enfant commun, à Ernestina et moi, et que j'aurais démailloté.

# 14

# *La révélation*

C'était le dernier soir. Marta vint appeler le policier. Son visage rafraîchit une fente dans la porte. Elle s'excusa :

– Aujourd'hui c'est moi qui dépose ?

Elle n'attendit pas que l'inspecteur réponde. Elle s'approcha de la chaise du policier et le prit par la main :

– Venez !

Elle l'entraîna par le chemin de pierre jusqu'à sa chambre. Avant d'ouvrir la porte, elle se retourna brusquement. Elle l'embrassa, un baiser très léger. Elle lui passa deux doigts sur les lèvres comme si, sur ce renflement de chair, elle sculptait un adieu. Puis, elle ouvrit la porte. Les vieillards étaient là tous, rassemblés dans la pièce : Navaïa Caetano, Domingos Mourão, Man Nenni, Nhonhoso. Le policier entra et il avança de quelques pas comme on recule.

– Qu'est-ce qui se passe ?

Mourão eut un geste de la main pour l'inviter à se taire. La sorcière se leva. Elle était revêtue d'habits de cérémonie. Finalement, c'était ça ? L'inspecteur constatait avoir été introduit en plein cérémonial divinatoire. Man Nenni se dirigea vers lui et elle fit glisser quelque chose entre ses mains.

– C'est la dernière.

Izidine regarda : c'était encore une écaille de pangolin. La sorcière lui ordonna de s'asseoir. Elle se balança devant lui, les yeux fermés. Au bout d'un moment elle dit :

– C'est le *halakavuma* qui devrait se montrer, descendu du ciel là-haut.

En ces jours que nous vivons, cependant, l'animal ne sait déjà plus parler le langage des hommes. Man Nenni se lamentait : *qui nous a si bien fait nous éloigner des traditions ? Désormais, nous avons perdu tout lien avec les messages célestes*. Il était resté les écailles que le *halakavuma* avait laissées échapper la dernière fois qu'il était tombé. Man Nenni les avait ramassées près de la termitière. Elles étaient les ultimes lueurs du pangolin, les tout derniers artifices des au-delà. Nuit après nuit, une de ces écailles avait travaillé l'âme de l'inspecteur. Il était maintenant invité à se prosterner à même le sol, à la disposition de mains devineresses. Man Nenni répandit sur lui les écailles du pangolin : sur les yeux, la bouche, auprès des oreilles, sur ses mains. Izidine demeura immobile, prêtant l'oreille aux révélations qui allaient suivre. Les récits se mélangeaient, les vieillards parlaient comme s'ils ne faisaient encore que répéter. Man Nenni trébuchait d'une syllabe à l'autre. Et elle discourait :

« Tu sais comment fait le *halakavuma* ? L'animal s'enroule de manière à dissimuler son ventre, où il n'a pas d'écailles. Il ne se déroule qu'à la nuit, sous la protection du noir. Vous auriez dû, vous, inspecteur, apprendre ces précautions. Vous auriez dû vous bien comporter pour patrouiller dans le coin. Mais non. Vous avez affolé la vérité. Et, maintenant, vous faites quoi ? Maintenant vous ressemblez au javali qui fuit la queue en l'air. Prenez garde à vous, inspecteur. Là-bas, à Maputo, on va vous persécuter. Ne vous a-t-on pas, déjà, transféré dans une autre brigade ? Ne vous a-t-on pas menacé ? Pourquoi ne suivez-vous pas la leçon du pangolin ? Pourquoi ne vous enroulez-vous pas sur vous-même de façon à protéger vos parties desquamées ? Vous ne le savez pas mais ils vous haïssent. Vous avez étudié en terre des Blancs, vous connaissez les ficelles pour affronter les travers de cette vie nouvelle qui nous est arrivée depuis la guerre. Ce monde qui est en marche est votre monde, vous savez marcher dans la boue sans vous salir les pieds. Eux sont obligés de chausser les souliers du mensonge, d'enfiler les chaussettes de la trahison. La vérité est celle-ci : vous devez démissionner de la police. Vous êtes un fruit sain sur un arbre pourri. Vous êtes l'arachide dans un panier de souris. Ils vont vous dévorer avant même que vous ayez eu le temps de leur poser problème. Le crime est la prairie où broutent vos collègues. Vous ne savez pas comment on fait croître l'herbe dans les prairies : il faut sans cesse couper non pas pour la supprimer mais pour qu'elle pousse dru avec plus de force. Nous avons pitié de vous parce que vous êtes un homme stupide. C'est-à-dire, un homme bon. On vous a sorti d'une mare de grenouilles et vous êtes allé vous fourrer dans la mare des crocodiles. »

Les mots semblaient lui sortir non pas de la bouche mais de tout le corps. Tandis qu'elle parlait, elle était secouée de convulsions, de l'écume lui coulait, de la bave, dans le cou. Puis, dans un spasme, la sorcière croisa les doigts. Tous retinrent leur respiration, suspendus, avides, à la parole qui allait suivre :

– Attention ! Je vois du sang !

– Du sang ! ? s'alarma le policier.

– Ils vont venir ici. Ils vont venir pour vous tuer.

– Me tuer ? Qui va me tuer ?

– Ils seront là demain. Déjà vous perdez votre ombre.

Man Nenni accélérait la transe. Elle se tordait comme si son corps était une flamme vive :

« C'est pour demain. L'assassin, je le vois. C'est le pilote. Celui qui vous a amené en hélicoptère. C'est lui qui va vous tuer. Ce n'est pas une décision à lui. Ils l'ont chargé de cette mission : "vous l'éjectez." Izidine, Izidine, vous vous êtes fourré dans le guêpier. Cette citadelle est un entrepôt de mort. »

Et la sorcière, sa respiration plus régulière, souleva l'un après l'autre la série de voiles qui entouraient le mystérieux assassinat du directeur. La vraie raison du crime n'en était qu'une : le trafic d'armes. Excelêncio cachait des armes, recupérées de la guerre. Elles étaient entreposées dans la chapelle. Seul Salufo Tuco avait accès à cet entrepôt. La citadelle avait été transformée en poudrière. Les vieillards, au début, ne savaient pas. Seul Salufo était au courant.

Jusqu'à ce qu'un jour le secret vienne à transpirer. Les vieillards s'étaient rassemblés, épouvantés Ces armes étaient les semences d'une nouvelle guerre. La chapelle recélait les braises d'un enfer où leurs pieds à tous s'étaient déjà brûlés. C'est pourquoi ils avaient pris cette décision : d'aller, à la nuit close, ouvrir le dépôt et de faire disparaître les armes. Ils s'étaient mis d'accord avec Salufo. Ils avaient émis l'idée de creuser un trou. Mais Man Nenni s'était gendarmée :

– La terre n'est pas un endroit pour enterrer des armes.

De sorte qu'ils avaient opté pour jeter tout cet armement à la mer. Ils avaient attaché des pierres à chacune des caisses afin qu'elles aillent par le fond éternel. Ils avaient réussi à en jeter quelques-unes depuis les rochers. Mais les armes étaient lourdes, trop pour leurs forces. De plus, il était évident que le transport des caisses, même au plus fort de la nuit, ne passerait pas inaperçu. Les vieillards s'étaient retrouvés face à cet impossible : ne pouvoir ni jeter à la mer, ni confier à la terre. Où, alors, faire disparaître ladite poudrière ? Ce n'était pas de ces choses qu'on résoud par la pensée. Seule l'intercession de Man Nenni pouvait valoir. Et ce fut ce qui eut lieu. Elle se tourna, à un moment, vers le cercle des vieillards, et elle leur demanda :

– Un trou qui a perdu son fond qu'est-ce que c'est ?

– C'est le néant, soi-même.

La sorcière avait ajouté : qu'il ne servait à rien de chercher à jeter les armes à l'extérieur. Il n'y avait pas d'extérieur qui suffise pour ces fers souillés de mort.

– Alors, que pouvons-nous faire, Man Nenni ?

– Suivez-moi, mes petits.

Et la sorcière les avait emmenés jusqu'à la chapelle. Elle avait ouvert les portes d'un simple frôlement de l'ongle. Les vieillards qui pourtant avaient vu le geste de Man Nenni, c'était à peine aujourd'hui encore s'ils pouvaient croire. Elle avait retiré son boubou, l'avait étalé sur le sol de la chapelle. Puis elle avait retiré le caméléon de son sac, elle l'avait fait aller et venir sur le tissu. Le reptile avait changé ses couleurs et fait rouler ses yeux tandis qu'il se mettait à enfler. Il avait enflé, enflé, à la taille d'un ballon. Tellement que, brusquement, il avait crevé. C'était alors que le monde s'était mis à tonner, tout le noir qu'il y a dans les nuages s'était déversé. Les vieillards avaient toussé en chassant la poussière de leurs mains. Et, fantastique, la vision s'était sculptée sous leurs yeux : là où il y avait un sol, à la place c'était maintenant un trou béant, un vide dans le vide, un abîme dans le néant.

Immédiatement, ils s'étaient mis à l'ouvrage. Ils avaient lancé les armements dans ce gouffre. Ils déversaient les munitions dans l'abîme et restaient ensuite écouter, un temps qui n'en finissait pas, le bruit du fer et de l'acier qui s'entrechoquaient. On continue aujourd'hui d'entendre l'écho des armes résonner dans le néant, se perdre au-delà du monde.

Jusqu'à ce qu'un jour un hélicoptère revienne. Il venait chercher les armes. Un groupe d'hommes en uniforme était descendu de l'hélicoptère et ils s'étaient dirigés vers l'entrepôt. Les vieux étaient restés à bonne distance, l'œil au guet. Les étrangers avaient ouvert la porte de l'entrepôt et aussitôt, en un éclair, tous les premiers avaient disparu à la queue leu leu dans l'abîme, engloutis ex abrupto dans le vide de l'espace. Les autres, interdits, s'étaient reculés. Qui avait creusé cette chausse-trappe ? Et où étaient les armes ?

Alors avait commencé un énorme pataquès. Les soupçons s'étaient portés sur Vasto. On l'avait, dûment escorté, ramené chez lui. Passé quelques instants, on avait entendu des coups de feu. Les hommes avaient exécuté Excelêncio. Ils avaient transporté le corps, étaient allés le jeter près de la plage, sur les rochers.

« Ce sont ces hommes qui ont assassiné Vasto Excelêncio. Ce sont eux, les mêmes, qui vont vous tuer, inspecteur. Demain, c'est sûr, ils vont venir et vous tueront. »

Man Nenni s'arrêta de parler, elle tomba, exténuée, par terre. Izidine Naïta sortit de la cérémonie, il regagna sa chambre et toute la nuit durant il écrivit. Il rédigeait comme Dieu fait : droit mais sans lignes droites. Ceux qui le liraient allaient devoir prendre la peine de désentortiller les mots. Dans la vie, seule la mort est exacte. Le reste balance d'une rive à l'autre du doute. Tel le pauvre Izidine : dans la main droite, le stylo ; dans la main gauche, le pistolet. Le policier était totalement désorienté. Sa tête bascula sur la table, le front dans le coussin des feuillets. Il s'endormit.

Il fut réveillé en sursaut par un bruit à la porte. Il se leva d'un bond, l'arme au poing. C'était Man Nenni. Elle portait une boîte en fer toute rouillée. La sorcière s'approcha d'Izidine sans rien dire. Elle lui déboutonna sa chemise. Elle plongea les doigts dans une graisse jaunâtre et commença à lui oindre le corps.

– Je te frotte avec cette huile de baleine.

Et Man Nenni, tandis qu'elle frictionnait la poitrine d'Izidine, déclama : *La baleine est géante. Tu vas devenir plus grand que n'importe quelle grandeur. Ils vont t'éjecter sur les vagues. Ils penseront que rien ne va rester de ton corps déchiqueté en s'écrasant sur les rochers. La mort, toutefois, ne pourra déja plus t'enlacer. Tu seras insaisissable comme le feu. Les vagues t'emporteront et tu n'auras de destin que parvenu à un endroit où n'accoste jamais aucune barque. Là où c'est la mer qui se déverse dans les rivières. Où c'est dans les flots que l'on plante le palmier, qui prend racine dans des fonds de corail. Tu te convertiras en être des eaux et tu seras plus grand que tous les voyages. Moi, Man Nenni, la femme-eau, je te le dis. Tu seras celui qui rêve et ne demande pas si c'est vrai. Tu seras celui qui aime et ne veut pas savoir s'il fait bien.*

Izidine n'en vit rien mais moi, le psychopompe niché en lui, je continuai de suivre la vieille du regard même après qu'elle eut claqué la porte. Elle suivit son chemin, toute petite et tête basse, et, brusquement, s'arrêta net. Elle regarda la boîte avec laquelle elle avait oint le policier, la fit tourner entre ses doigs. Elle haussa les épaules, puis envoya rouler la boîte au loin.

# 15

# *Le dernier rêve*

Le geste désenchanté de Man Nenni me fit prendre une décision. J'allais abandonner le corps de l'inspecteur. Je ne pouvais laisser ce garçon mourir, s'engloutir dans un destin dont j'avais déjà la révélation. Je préférais souffrir d'être condamné à la tombe, devrais-je me plier à des promotions de héros erroné.

Je sortis, ce matin-là, du corps d'Izidine Naïta. J'étrennais ainsi à nouveau ma propre matière dans le monde, fantôme visible uniquement dans l'avenir. La lumière m'envahit, immense, dès que je me retranchai du corps du policier. D'abord, tout scintilla en milléclats. La clarté, peu à peu, se disciplina. Je regardai le monde, autour de moi tout s'inaugurait. Et je murmurai, la voix humide :

– C'est la terre, c'est ma terre !

Même telle que je la retrouvais, pavide et poussiéreuse, elle m'apparaissait comme le seul lieu au monde. Mon cœur, finalement, n'avait pas été enterré. Il était là, il avait toujours été là, refleurissant dans le frangipanier. Je touchai l'arbre, je cueillis la fleur, respirai le parfum. J'errai ensuite sur la véranda, avec l'océan qui m'énamourait le regard. Je me souvins des paroles du pangolin :

– Ici c'est là où la terre se dévêt et où le temps se couche.

Je commençai à distinguer le bruit des hélices de l'hélicoptère. L'appréhension me décontenança. Ils arrivaient ! Tout en moi s'improvisa. La voix du *halakavuma* résonna dans ma tête :

– Va chercher ce garçon !

Pendant que je courais, les paroles du pangolin continuaient de se faire entendre. Le *halakavuma* m'annonçait ses plans. Il allait joindre les forces de ce monde à celles d'autres mondes et faire éclater l'orage suprême. La grêle et la foudre s'abattraient sur le fort.

Je n'aurais pas autre chose à faire pendant ces terribles évènements que de suivre ses instructions.

– Tu piloteras l'embarcation, je conduirai l'ouragan.

L'embarcation ? Quelle embarcation ? Ou était-ce simplement une image, sans aucune énigme à l'intérieur ? Mais déjà le pangolin s'était tu. Je courus jusqu'à la chambre d'Izidine et l'appelai.

– Viens par ici, vite ! Ils sont déjà là !

L'homme commença, embarrassé, par se méfier.

– Qui es-tu ?

Il n'y avait ni façon ni le temps pour une explication. Je lui criai d'un ton de commandement : qu'il prenne ses jambes à son cou et me suive. Le policier hésita encore un moment. Il examina le ciel, qui lui confirma l'imminence du danger. Puis, il se décida et m'emboîta le pas, à toute vitesse. Nous courûmes en direction de la plage. L'hélicoptère, tel un vautour là-haut, nous prit en chasse. J'entraînai Izidine du côté des rochers, où nous pourrions nous cacher à notre aise. Comme nous nous applatissions dans un creux de falaise, je me contemplai, stupéfait. Et je me dis : toute ma vie avait été pleine de faussetés. Je m'étais tressé une couronne de lâchetés. A l'heure où il s'imposait de combattre pour le pays, je m'étais dérobé. J'avais cloué des planches pendant que certains construisaient la nation. J'avais été aimé par une ombre tandis que d'autres allaient de corps en corps. Je m'étais en vie éclipsé de la vie. Mort, je m'étais caché dans le corps d'un vivant. Ma vie, celle authentique, avait été mensongère. Et la mort m'avait surpris avec une telle franchise que je n'y avais pas cru. Ce moment était le dernier où j'avais chance d'encore pouvoir marquer le temps. Et de faire naître un monde où tout homme, du seul fait de vivre, soit respecté. Finalement, n'est-ce pas le pangolin qui dit que tout être sur cette terre est aussi ancien que la vie ?

Toutes ces pensées défilaient dans ma tête lorsque, brutalement, l'orage éclata. Ce fut une chose comme nul jamais n'avait vu : les nuages prirent feu, le ciel s'enflamma et la chaleur devint celle d'une fournaise. Soudain, l'hélicoptère devint incandescent. L'hélice se détacha et l'appareil, désintégré, tomba comme ces petits papiers en flammes dont on ne sait s'ils montent ou s'ils descendent. De sorte que la machine, changée en torche, alla s'écraser sur le toit de la chapelle. Ce qu'il en restait plongea là où les armes étaient entreposées. Une explosion épouvantable ébranla tout le fort, on aurait dit que le monde n'était plus qu'un brasier. D'épais nuages avaient obscurci le ciel. Peu à peu les couches de fumée se dispersèrent. Lorsque tout fut redevenu clair, alors, par milliers, de ce dépôt sans fond s'échappèrent des hirondelles dont le vol emplit le ciel de scintillations inattendues. Les oiseaux étincelaient au-dessus de nos têtes, puis ils s'éparpillèrent en direction des bleus moutonnements de la mer. Le firmament, empli en un instant de battements d'ailes, s'envola loin du monde.

Après, je vis les vieillards qui s'approchaient de la plage. Ils se soutenaient, réciproquement. Derrière venait Marta. Izidine Naïta m'incita à les rejoindre afin de les aider. Je ne pouvais pas. Un psychopompe, dans un corps authentique, ne peut pas toucher un vivant. Sinon, il inflige la mort.

Et tous, les vieillards, Marta, Izidine et moi, nous nous rassemblâmes sous la charpente qui restait encore sur les rochers, ce même embarcadère que j'avais construit du temps où j'étais vivant. La charpente résistait encore et elle nous protégea de la pluie de feu. L'assemblage qui avait été conçu pour faciliter le massacre de prisonniers remplissait maintenant la fonction de secourir mes compagnons vivants.

Peu à peu le ciel se lava jusqu'à devenir si transparent qu'on pouvait distinguer, au-delà du bleu, d'autres firmaments. Quand, enfin, tout se fut calmé, un silence régna, comme si la terre entière avait perdu la voix.

– Vous avez vu l'hélicoptère ? demanda Izidine, surexcité.

– Quel hélicoptère ?

La vieille sorcière se mit à rire aux éclats. Ce que le policier avait pris pour une machine volante c'était le *wamulambo*, le serpent des orages. Et tous joignirent leurs rires à celui de Man Nenni. Elle donna l'ordre de retourner au fort. Elle prit la tête et les guida, ouvrant le chemin, entre les différents endroits où le feu avait fait rage. A ma stupéfaction : au fur et à mesure que nous avancions, ces décombres se métamorphosaient en murs immaculés, les bâtiments se redressaient intacts. Ces feux que j'avais vus, les déflagrations auxquelles j'avais assisté n'avaient pas été autre chose, somme toute, qu'évènements imaginaires ? Il demeurait toutefois, surgissant de ce qui restait, une preuve témoignant que ce désordre avait eu lieu, que la mort avait visité ce lieu. C'était le frangipanier de la véranda. Il ne restait de l'arbre qu'un squelette grossier, des doigts de charbon étreignant le néant. Tronc, feuilles, fleurs : tout s'était éparpillé à l'état de cendres. Les vieillards s'approchèrent de la véranda en prenant soin de ne pas marcher sur les restes calcinés. Xidimingo se faisait incrédule :

– Il est mort ?

La vision de cette mort me fit souvenir de la mienne. Mon tour était arrivé de retourner parmi les ombres. Je saluai, très triste, les vieillards. Je pris congé de la lumière, du serein, des voix. Je commençai à m'enfoncer dans le sable, prêt à m'éteindre. Mais, à un moment donné, j'hésitai : le chemin du retour ne pouvait pas être celui-là. Ce sol ne m'acceptait pas. J'étais devenu un étranger sur les terres de la mort. Pour franchir la toute dernière frontière il était nécessaire que je devienne clandestin. Comment me transférer, transfini ?

Je me souvins des enseignements du pangolin. L'arbre était l'endroit du miracle. Alors je descendis de mon corps, je touchai la cendre et elle se transforma en pétale. Je triturai ce qui restait du tronc et la sève reflua, semence de la terre. A mesure de mes gestes, le frangipanier renaissait. Et tandis que l'arbre se reconstituait, nouveau-né, je me couvris de la cendre même en laquelle la plante s'était désintégrée. Ainsi, arborescent, je me légitimais végétal. J'attendais la métamorphose finale lorsqu'un petit filet de voix m'arrêta :

– Attends, je vais avec toi, mon frère.

C'était Navaïa Caetano, le vieillard-enfant. Le temps lui avait pratiquement confisqué son corps. Il était appuyé contre le tronc et perdait les couleurs qui sont celles de la vie. Et il répétait :

– Je t'en prie, mon frère !

Il m'appelait son frère. Le vieux Navaïa me confirmait dans ma qualité d'humain, me disculpant de n'avoir pas su, en vie, être différent. Il me tendit la main et supplia :

– Touche-moi, je t'en pric ! Moi aussi je veux partir...

Je pris sa main. Mais à ce moment-là je remarquai qu'il portait, en bandoulière, sa jante à jouer. Je lui demandai qu'il laisse derrière lui l'inustensile. Où nous allions, le métal était interdit. Mais la voix du pangolin me parvint, qui corrigeait :

– Laisse entrer ce jouet. Ce n'est pas un cas qui restera unique.

Et Navaïa s'illumina des bonheurs de l'enfance. Il serra très fort ma main et, ensemble, nous entrâmes à l'intérieur de nos ombres respectives. Tandis que mon corps finissait de s'estomper, je notai encore que d'autres vieillards faisaient route avec nous, descendant dans les profondeurs du frangipanier. Et j'entendis la voix suavissime d'Ernestina en train de bercer un enfant éloigné. Sur l'autre rive au loin, contre la lumière, restaient Marta Gimo et Izidine Naïta. Je vis leur image s'évanouir, il ne resta plus d'eux, brève scintillation de l'aube, qu'un double cercle de cristal.

Gagné par les intonations du sol, je vais perdant petit à petit la langue des hommes. Dans la véranda lumineuse je laisse mon dernier rêve, l'arbre, le frangipanier. Je deviens tel le son des pierres. Je me couche plus ancien que la terre. Je vais dorénavant dormir plus tranquille que la mort.

# *Glossaire*

*Canhoeiro* : arbre dont le fruit (*canho* ou *nkanyu*) est, pour les populations du sud du Mozambique, un fruit sacré. On en retire un alcool que l'on boit lors de la fête, en février, des débuts de la cueillette. Nom scientifique : *Sclerocarya birrea.*

*Chamboco* : instrument de percussion (*matraca*).

*Halakavuma* : Partout, dans le Mozambique on croit que le pangolin (*l'halakavuma*) habite dans le ciel et qu'il descend sur terre pour annoncer aux chefs traditionnels le déroulement des événements à venir.

*Mafurreira* : arbre dont on extrait une huile, d'un emploi courant dans la cuisine locale, l'huile de mafurra. Nom scientifique : *Trichilia emetica.*

*Mamparra* : terme péjoratif employé pour désigner les personnes qui arrivent de la campagne pour tenter de se refaire une vie dans les grandes agglomérations.

*Nkakana* : plante herbacée dont les feuilles sont comestibles et dont les vertus sont également utilisées par la médecine locale.

*Naparama* : nom des guerriers traditionnels qui, armés seulement d'arcs et de flèches, sont persuadés d'être protégés par des rites magiques de l'impact des balles.

*Ntumbuluku* : terme désignant dans le sud du Mozambique à la fois l'origine des êtres humains et les commencements du monde de la nature.

*Tontonto* : eau-de-vie de fabrication artisanale à usage familial.

*Xi-ndau* : la langue du peuple Ndau, du centre du Mozambique.

*Xipoco* : fantôme.

*Table*


1. Le rêve du mort ........ 9
2. Premier jour chez les vivants ........ 23
3. La confession de Navaïa ........ 33
4. Deuxième jour chez les vivants ........ 51
5. La confession du vieux Portugais ........ 61
6. Troisième jour chez les vivants ........ 75
7. La confession de Nhonhoso ........ 83
8. Quatrième jour chez les vivants ........ 99
9. La confession de Man Nenni ........ 107
10. Cinquième jour chez les vivants ........ 127
11. La lettre d'Ernestina ........ 137
12. Le retour au ciel ........ 155
13. La confession de Marta ........ 165
14. La révélation ........ 181
15. Le dernier rêve ........ 191

*Imprimé en France sur Presse Offset par*

**BRODARD & TAUPIN**

GROUPE CPI

La Flèche (Sarthe), 12396
N° d'édition : 3368
Dépôt légal : mars 2001
Nouvelle édition : mai 2002